Pimentas

histórias, cores, formas e sabores

© 2018, Companhia Editora Nacional

DIRETOR SUPERINTENDENTE: Jorge Yunes
DIRETORA EDITORIAL: Soraia Reis
EDITOR: Alexandre Staut
ASSISTENTE EDITORIAL: Chiara Provenza
REVISÃO: Lui Fagundes
COORDENAÇÃO DE ARTE: Juliana Ida
ASSISTENTE DE ARTE: Isadora Rodrigues

IMAGEM DE CAPA: Shutterstock©
IMAGENS DE ABERTURA: Shutterstock©
IMAGENS INTERNAS – CAPÍTULOS: Arquivo pessoal do autor. Páginas, 17, 23, 27, 33, 39, 42, 51, 55, 59, 67, 74, 79, 83, 108, 111: Jorge Sabino

---

CIP-BRASIL. CATALOGAÇÃO NA PUBLICAÇÃO
SINDICATO NACIONAL DOS EDITORES DE LIVROS, RJ

L811p

    Lody, Raul, 1952-
        Pimentas : histórias, cores, formas e sabores / Raul Lody. - 1. ed. - São Paulo : Companhia Editora Nacional, 2018.

        112 p. : il. ; 26 cm.

        ISBN 978-85-04-02048-9

        1. Culinária (Pimenta). I. Título.

17-46705   CDD: 641.6384
                                                                                           CDU: 641.5

14/08/2017   15/08/2017

Rua Gomes de Carvalho, 1306 – 11º andar – Vila Olímpia
São Paulo – SP – 04547-005 – Brasil – Tel.: (11) 2799-7799
www.editoranacional.com.br – comercial@ibep-nacional.com.br

histórias, cores, formas e sabores

RAUL LODY

Companhia
Editora Nacional

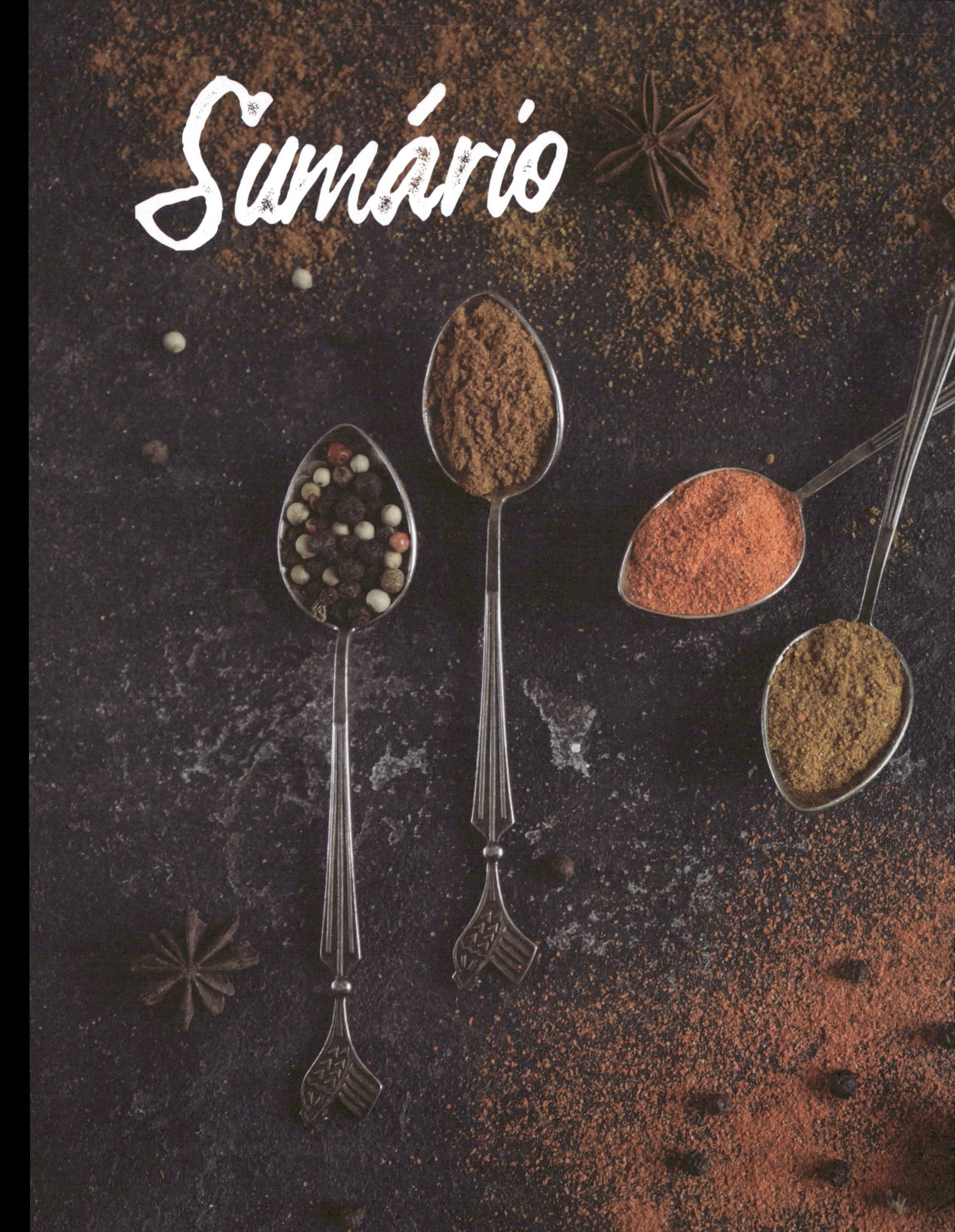

Sumário

11 Prefácio

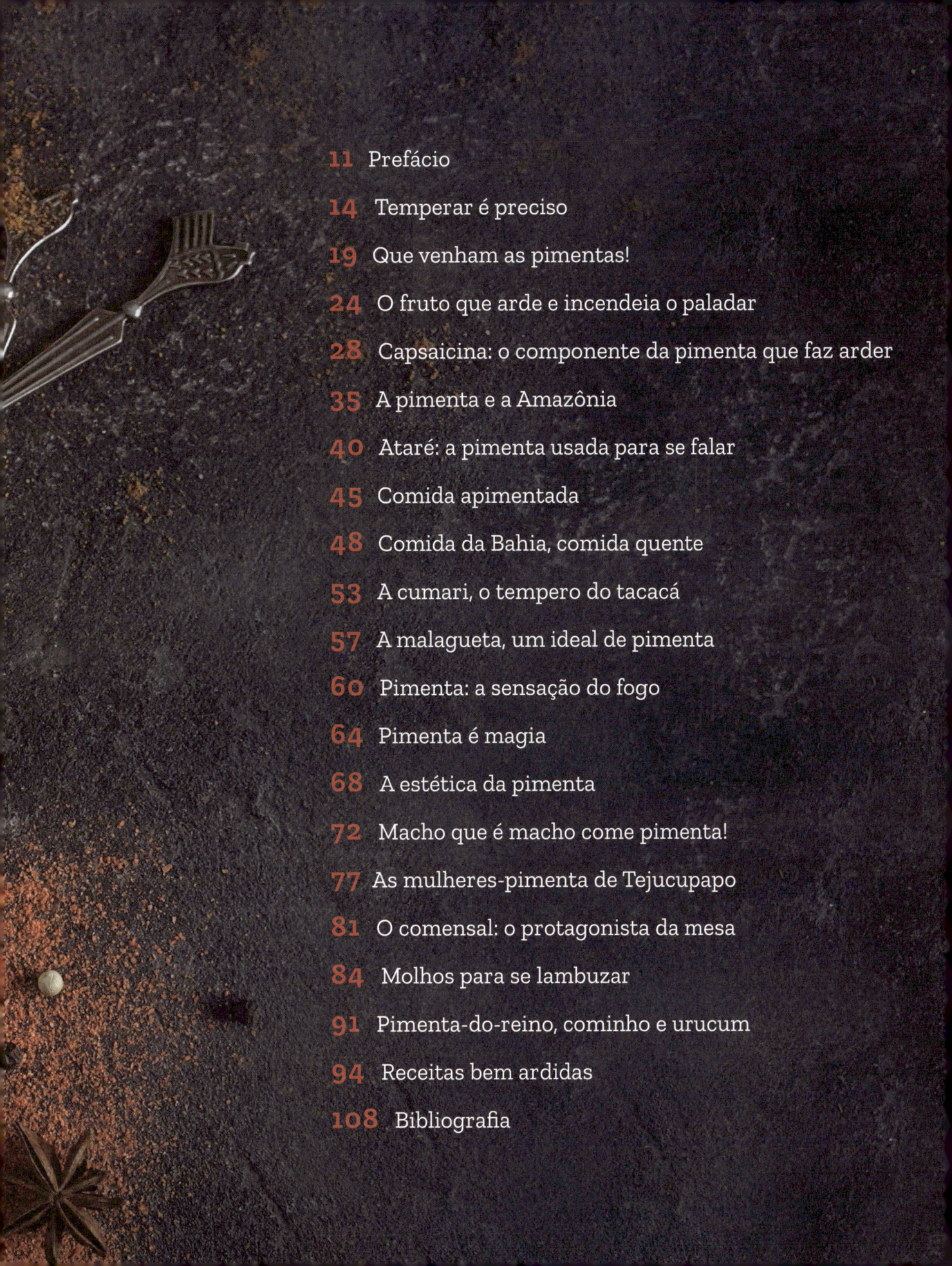

14 Temperar é preciso

19 Que venham as pimentas!

24 O fruto que arde e incendeia o paladar

28 Capsaicina: o componente da pimenta que faz arder

35 A pimenta e a Amazônia

40 Ataré: a pimenta usada para se falar

45 Comida apimentada

48 Comida da Bahia, comida quente

53 A cumari, o tempero do tacacá

57 A malagueta, um ideal de pimenta

60 Pimenta: a sensação do fogo

64 Pimenta é magia

68 A estética da pimenta

72 Macho que é macho come pimenta!

77 As mulheres-pimenta de Tejucupapo

81 O comensal: o protagonista da mesa

84 Molhos para se lambuzar

91 Pimenta-do-reino, cominho e urucum

94 Receitas bem ardidas

108 Bibliografia

"A pimenta-da-terra é de duas qualidades, uma amarela e outra vermelha, mas ambas crescem da mesma maneira. Enquanto verdes, são como o fruto da roseira (...) são pequenos arbustos de meia braça de alto e têm florzinha. E ficam muito carregados de pimenta, das que ardem na boca. Quando maduras, colhem-nas e secam-nas ao sol. Há também uma espécie de pimenta miúda, não muito diferente da já mencionada, e que secam do mesmo modo."

HANS STADEN

Pimentas e especiarias na culinária de hoje e sempre

Até recentemente, antes que se desatasse a atual euforia pela culinária tradicional, nos locais da gastronomia da moda era malvisto defender comida picante. Nos círculos cosmopolitas, onde se exaltam principalmente os valores da *haute cuisine*, bem como nos restaurantes que se orgulham da observância à etiqueta gastronômica considerada "chique", era de mau gosto demonstrar apreço pelos sabores acentuados com curry, especiarias ou qualquer tipo de pimenta ou outro condimento emparentado do *Capsicum*.

Coisa de selvagens, afirmavam uns. Falta de verdadeira cultura gastronômica, dizia eu, que, nostálgica da culinária mexicana, naquela época me envolvia em acaloradas discussões com meus amigos críticos da boa mesa na Europa. Agora vejo que eram discussões absurdas, porque, naquela época, era impossível utilizar os argumentos que hoje abundam para ponderar os valores que se dão na diversidade gastronômica do mundo quando conserva suas raízes na tradição. Agora parece claro que não existem altas e baixas culinárias, e que nenhuma região é superior a outra pelo simples desenvolvimento de técnicas inovadoras. No entanto, existem sim algumas cozinhas regionais que baseiam sua grandeza na biodiversidade e sabedoria com que aproveitam seus ingredientes locais e com a qual transmitem saberes e técnicas na arte de cozinhar.

Diante da impossibilidade de responder aos argumentos eruditos dos chefs de chapéu e alvo avental, eu só sabia afirmar que a comida da minha terra, picante ou não, era deliciosa, e me dava raiva quando asseguravam que a francesa, ou qualquer outra por aí, era a melhor do mundo.

Nos últimos tempos, muitas coisas ocorridas no âmbito das culturas gastronômicas mudaram mapas e derrubaram mitos acerca da apreciação das formas de cozinhar no planeta Terra. Hoje, como ontem, os fluxos civilizatórios e os movimentos da natureza provocam dinamismos que necessariamente redundam na transformação de culturas culinárias. Nesse sentido, a inscrição da culinária mexicana como Patrimônio da Humanidade significou a reafirmação de certos critérios que demonstram todo o vigor e vigência das culinárias tradicionais, entre eles, a persistência do uso de produtos locais.

Para o México, um dos mais emblemáticos é o chili, que faz parte da trilogia de alimentos que se encontra nas origens de sua história, de sua cosmogonia e de seu desenvolvimento como nação. Eis por que, culturalmente, eu me identifico tanto com as ideias de Raul Lody e seu grande discurso para enaltecer as grandes qualidades da culinária picante, que além de dar sabor e incendiar o paladar, cumpre funções nutricionais essenciais para a digestibilidade dos alimentos, como no caso da cozinha mexicana com o chili em função do feijão e do milho.

Mas, deixando esse assunto para especialistas em nutrição, destaquemos alguns aspectos culturais que transformam em uma verdadeira festa dos sentidos as cozinhas picantes e aquelas que se vangloriam do uso acentuado das especiarias. Algo acontece não só no corpo humano, mas também no corpo social, visto que uma refeição em torno de uma mesa ardidinha desinibe o temperamento das pessoas, rompe as barreiras da falta de comunicação e propicia um verdadeiro ambiente festivo.

Os nascidos e alimentados nessa faixa tropical, onde florescem as especiarias, as pimentas, pimentões e chilis, muitas vezes sofrem a incompreensão dos que só experimentaram a culinária das terras frias. As diferenças entre uns e outros podem, inclusive, chegar a ser ríspidas, já que na mesa de longas toalhas dificilmente há lugar para um *mole*, um bom molho com pimenta chipotle ou um molho temperado com pimenta-malagueta. Devemos nos perguntar o porquê dessa rejeição, e para responder, temos que aventar hipóteses, como aquela que tem a ver com a luxúria provocada pelos alimentos "quentes". A verdade é que não há dúvida de que a culinária bem temperada propicia a expansão dos sentidos, e os textos de Raul Lody confirmam isso de muitas maneiras. Não em vão nasceu na Bahia, que é a terra da sensualidade e da comida que excita todos os sentidos. Não em vão nessa terra as lindas baianas do acarajé foram declaradas patrimônio nacional; não em vão quem à Bahia chega a primeira coisa que pede é uma moqueca – eu adoro a de siri – para alegrar o corpo, ajudando o gozoso ritual com uma caipirinha.

Raul Lody compreendeu perfeitamente a dimensão profunda da culinária popular, e eu só quero repetir que ele tem razão ao fazer tudo o que faz para enaltecer sua terra criando instituições e museus; buscando, ainda, o reconhecimento do Estado e do Governo para obter sua proteção e desenvolvimento. Raul, você está certo, porque bem sabe que a culinária com pimentas e especiarias, além de dar prazer e boa saúde, presenteia a quem a come com o benefício da felicidade.

GLORIA LOPÉZ MORALES

1. Temperar é preciso

Provavelmente, o nome "pimenta" tenha aparecido na Europa antes da chegada desta especiaria, pois, desde o século XII, já havia uma bebida especial, que provocava ardor, chamada pimenta, feita a partir de pigmentum, um corante que designa esse tempero e também o seu sentido aromático.

E então, após o século XVII, a pimenta da América, do gênero Capsicum, recebeu esse nome. No século XVIII surgiu o termo "pimentão" para nomear o fruto da pimenta-doce e, no século seguinte, o termo "páprica".

Os diferentes motivos que levaram à curiosidade de pesquisar, conhecer e usar as especiarias e temperos têm fortes relações com histórias coletivas e pessoais de sanidade, prevenção, preservação e conservação dos alimentos para armazenagem e/ou transporte.

Assim, surgiram também os apreciadores de sabores acentuados e das emoções à mesa. Com as novas maneiras de aguçar os sabores, realçando-os, e de criar referências ou formas de controlar as especiarias, fosse por motivos comerciais, sociais, religiosos, entre tantos outros, todos buscavam um valor especial, econômico e simbólico para cada tempero.

Eram temperos nativos e também de outros povos e culturas. O homem lusitano possibilitou um amplo e rico contato com as muitas especiarias do mundo Oriental e Ocidental.

Por intermédio de João Afonso de Aveiro, Senhor do Benin, em 1468, os portugueses que estavam no Benin, África Ocidental, levaram para Portugal as primeiras pimentas: Grão-do-paraíso ou pimenta-da-guiné – *Afromomum melegueta*; Bejerecum ou pejerecum – *Xylopia aethiopica*; Pimenta-de-macaco – *Xylopia aromática*;

Inicialmente, as especiarias traziam suas histórias marcadas no nome, que identificavam suas procedências étnico-culturais. Por exemplo: Ajowan, cominho etíope – *Trachyspermum ammi*; Pimenta-ají – *Capsicum baccatum*, pimenta peruana; que no Brasil é conhecida como pimenta-dedo-de-moça.

Muitos temperos que conhecemos hoje se popularizaram, "abrasileiraram-se". É o caso da canela, do cravo, do cominho e da pimenta-do-reino. Até o próprio açúcar

da cana-de-açúcar, vindo da Ásia, após um longo processo aculturou-se no Brasil. Nos primórdios, o grama do açúcar valia mais que o grama do ouro!

Açafrão, açúcar, ajowan, alcaçuz, alecrim, almíscar, âmbar-pardo ou âmbar-gris, amêndoas, anis-estrelado, assa-fétida, azeite de dendê, azeitonas, baunilha, bergamota vermelha, canela, cardamomo, cássia, cerefólio, chili, chocolate, coentro, cominho, cravo-da-índia, cúrcuma, endro, erva-doce, estragão, feno-grego, folhas de curry, de freixo, galanga, gengibre, gergelim, hortelã, macis, manjericão, manjerona, mostarda, noz-moscada, orégano, rosela (hibisco ou vinagreira), sálvia, sementes de papoula, sumagre, tomilho, trufa, verbena, zimbro...

Todas essas possibilidades de sabores criam combinações de temperos, assim como as consagradas pimentas, também ricas em variedade e tipos. As pimentas são valorizadas conforme o grau de pungência (ardência).

Da espécie *Capsicum annuum*, temos: arbol, caiena, cereja, jalapeño, mulata, Novo México, pimentão, poblachinense. Da espécie *Capsicum baccatum*, temos: cambuci, cumari, dedo-de-moça, peito-de-moça. Da espécie *Capsicum chinense*: cabacinha, cumari-do-pará, habanero, murupi, pimenta-de-cheiro. Da espécie *Capsicum frutescens*: malagueta, tabasco. Da espécie *Capsicum pubescens*: rocoto. E, para finalizar, da família Piperaceae: cubeba, pimenta de folha, pimenta-longa, pimenta-do-reino.

Na nossa mesa brasileira há muitas especiarias. Raras, vindas de lugares distantes, de outros povos e civilizações, todas são usadas para temperar, por isso as chamamos de temperos.

2. Que venham as pimentas!

É verdadeiramente incrível que marinheiros, vindos de um país tão pequenino como Portugal, tenham navegado em embarcações tão despretensiosas e conseguido atravessar o Oceano Atlântico. E, ainda, que tenham descoberto as rotas marítimas que levavam até a Costa de Malabar, à época medieval conhecida como Costa das Especiarias.

Contudo, outras rotas milenares em busca de especiarias já aproximavam o Oriente do Ocidente; assim, genoveses, catalães e venezianos já buscavam no Oriente Médio suas cargas sofisticadamente aromáticas.

Os objetivos iniciais dos navegadores portugueses iam além das especiarias. As caravelas procuravam ouro, abundante na África Ocidental, marfim e pigmentos. E, também, procuravam "mercadorias humanas": africanos (homens, mulheres e crianças) para torná-los escravos.

Entre as cobiçadas pimentas havia a malagueta, chamada desde a Idade Média de "grão-do-paraíso" ou "pimenta-da-guiné". Eram especiarias já utilizadas nas mesas europeias havia séculos, vindas dos portos da África mediterrânea, como o porto de Ceuta.

Há registros de que os franceses apreciavam muito essas pimentas da Costa desde o século XIV (*les graines de paradis*). Elas também constam das antigas receitas de cervejas e vinhos e faziam parte da medicina medieval. Na Europa, por muito tempo esses grãos-do-paraíso foram mais valiosos que a pimenta-do-reino que vinha da Ásia.

A malagueta foi usada como moeda em Ceuta, no norte da África, assim como a pimenta-do-reino também fora usada como moeda na Europa. Para Portugal, o comércio da malagueta tornou-se muito mais importante que o da pimenta-do-reino. Suas transações comerciais com a África Ocidental deram-se no final da Idade Média, momento em que se iniciavam as Grandes Navegações pelo Novo Mundo.

No início do século XVII, os mercadores portugueses importavam em torno de 60 toneladas de malagueta, quantidade somente comparável ao comércio da pimenta-do-reino e do gengibre (atualmente, a Nigéria e Gana são os países que mais plantam malagueta, o grão-do-paraíso).

Com as Grandes Navegações, Portugal também queria chegar à Índia para conseguir pimenta-do-reino, pois a corte portuguesa precisava fazer dinheiro com o comércio de especiarias para poder comprar mais sedas orientais, lãs florentinas e especiarias venezianas.

É importante salientar que Lisboa tinha uma posição geográfica de destaque, pois estava localizada no meio da rota italiana, que passava pelo Mediterrâneo e ia até Flandres. Com isso Portugal abastecia os comerciantes italianos de sal e azeite de oliva e adquiria pimenta e canela dos venezianos, especiarias trocadas pelo ouro africano.

Havia muito tempo que os cardápios da Europa eram elaborados com açafrão, gengibre, pimenta, canela e cravo. Um destaque é o manuscrito "Livro de cozinha da Infanta Dona Maria de Portugal", onde encontramos o uso desses cinco ingredientes em receitas com lampreia e também o condimento chamado massala, uma mistura de várias especiarias.

Certamente a introdução das especiarias orientais e africanas no cardápio português foi um marco importante nas receitas tradicionais portuguesas. Buscava-se ampliar o sentimento gastronômico para além da afirmação social, política e religiosa: tratava-se também de uma busca pelo prazer à mesa.

Para suprir os mercados e as cozinhas, Portugal se lançou na carreira para as Índias. Agora com grandes embarcações, diferentes daquelas que iam para a costa africana.

Vindos da Índia, os verdadeiros armazéns flutuantes geralmente paravam primeiro em Cochin, depois seguiam rumo a Goa, para serem abastecidos com pimenta-do-reino (pimenta-preta), e então seguiam viagem para Malabar, até finalmente chegar em Portugal.

Durante o percurso o objetivo era armazenar a maior quantidade possível de especiarias. Nas estruturas das embarcações dois conveses inteiros eram preparados para acomodar pimenta-do-reino e ainda muitos feixes de canela do Ceilão, cravo, noz-moscada e macis das Índias Orientais.

As naus retornavam abarrotadas com esses verdadeiros tesouros comestíveis, que serviam aos mercados consumidores da Europa e, em especial, aos próprios portugueses.

Nesse verdadeiro ciclo de navegação, voltado à mesa e ao paladar, Portugal já comercializava com os mercados de Londres, Bruges e Hamburgo (sal, azeite de oliva e amêndoa).

Quem também se destacou no uso notável dessas mercadorias foi a Igreja, que empregava as especiarias considerando alguns conceitos teológicos de orientação nas cozinhas dos mosteiros. Assim, formou-se um amplo e diverso ciclo de doçaria, pautado no recém-chegado açúcar de cana sacarina.

Nos mosteiros tinham destaque a pimenta-do-reino, o gengibre e a canela, interpretados como "quentes e secos". Sua utilização nos cardápios começou a ganhar um valor especial durante a Quaresma e os jejuns de certos alimentos. Essas especiarias eram usadas para equilibrar os humores úmidos e frios referentes aos peixes e frutos do mar.

Vale entender que o conceito de jejum é complexo e diverso, geralmente refere-se à abstenção de determinados alimentos, em especial as carnes, "carnes de sangue", também conceitualmente consideradas quentes.

Durante a Alta Idade Média, São Bernardo dizia ser pecado sentir prazer ao cheirar as especiarias e ervas sem louvor a Deus.

Contudo, o apelo aos banquetes tornou-se crescente, e os sentidos espetaculares – que levam o comensal ao entendimento de que as tão apreciadas comidas aromáticas são muito condimentadas – experimentaram uma verdadeira orgia de pimenta-do-reino, açúcar, noz-moscada, entre tantas outras delícias.

Sem dúvida, a aproximação entre Oriente e Ocidente criou novos hábitos e transformou costumes. Com a inclusão das especiarias, surgiram novos sistemas alimentares, elaborados a partir das possibilidades dos mercados africano e indiano. Assim, foi introduzido nas Américas um novo ciclo, em que os comensais usavam e abusavam dessas iguarias, como a pimenta fresca.

Nos mares, Portugal invadiu as rotas dos romanos, dos mercadores árabes, dos navegadores nórdicos e dos flamengos, povos que já percorriam esses caminhos havia séculos.

Os europeus, clientes recentes das especiarias, passaram a ser os novos apreciadores desses temperos que modificaram os conceitos de gosto, paladar e sabor. Já os clientes tradicionais, antigos, localizavam-se na Pérsia, em todo o Oriente Médio, na China e na Índia. Supõe-se que a Europa consumia cerca de um terço da produção anual de especiarias.

Neste importante mercado das especiarias, notadamente de pimenta-preta (do reino), os portugueses se incluíram na grande movimentação marítima das embarcações mouriscas, que segundo mercadores florentinos chegavam em torno de mais de mil e quinhentas, fazendo o trajeto da Índia ao Oriente Médio, da Índia à China e da Índia aos muitos mercados mediterrâneos.

É importante assinalar que nessas rotas comerciais dos árabes há uma evidente difusão do Islã para a Ásia, bem como para a África mediterrânea. Assim, nesse contexto comercial de navegadores europeus e mulçumanos, Portugal ocupou um papel discreto.

Até hoje a pimenta-do-reino é muito popular na cozinha brasileira, além de compor condimentos preparados com diversos outros temperos, como cominho e colorau (uma invenção nativa feita a partir do urucum). O resultado é a confirmação de traços tradicionais dessas especiarias: são aromáticas, coloridas e de sabores marcantes.

As pimentas secas, em especial da espécie *Piper nigrum* (pimenta-do-reino/pimenta-preta), são misturadas com outras secas ou frescas, como as do gênero *Capsicum* (popularmente conhecidas como pimenta ardida, chili, pimenta vermelha, e outros nomes regionais que localizam os seus povos e civilizações na América Latina).

Alguns preparos tradicionais faziam arder os paladares. As pimentas estavam presentes nas receitas Rogan Josh, Curry tailandês, Kimshi coreano entre outras, e foram confrontadas, a partir do Renascimento, com a grande dispersão das pimentas do gênero *Capsicum* pelo mundo.

Tratando-se de ardor na boca, tem destaque os chilis do México e sua dispersão pela América Central. As cozinhas pré-hispânicas já elaboravam preparados culinários bem ardidos desde 7000 a.C.

A Península Ibérica polarizou a entrada e a variedade de pimentas a partir de Cristóvão Colombo, com as Grandes Navegações lusitanas. A oferta de produtos picantes se ampliou e transformou os hábitos alimentares: ocorreu uma verdadeira "seleção cultural do gosto".

É o caso do *pimentón* picante da Espanha, condimento comum nas cozinhas populares. Há ainda a pimenta vermelha, usada como corante para tingir vários alimentos. O mesmo se deu em Portugal, com a substituição do açafrão pelo poder colorífico das pimentas americanas.

Além da pimenta, outra marca crucial do tempero oriental à mesa ocidental é a canela do tipo verdadeira (*Cinnamomum verum*), procedente do Ceilão, atual Sri Lanka. Contudo, a mais consumida atualmente é a canela do tipo *Cinnamomum cassia*, procedente do Sul Asiático.

A canela, tanto a *verum* quanto a *cassia*, obteve a maior difusão. Marcante em odor e sabor, destaca-se ao lado do açúcar de cana e atua nos cardápios de carne e de peixe. O açúcar também teve seu lugar nos pratos salgados denominados agridoces.

Em *Arte de cozinha* (1680), Domingos Rodrigues menciona a tendência de salpicar canela na finalização de preparos salgados e doces.

A amplitude do uso das especiarias – em especial das pimentas – reúne trajetórias históricas e econômicas, mostrando as relações entre Ocidente e Oriente e como essas iguarias difundiram culturas e transformaram hábitos alimentares.

3. O fruto que arde e incendeia o paladar

O imaginário da pimenta traz um sentimento de algo quente, com sabor dominante, que faz arder à boca.

A pimenta tem uma importante presença gastronômica nas mesas do mundo. E, nesse cenário, está a plural e diversa mesa brasileira. Mesa que exibe desde pimentas nativas até as secas da costa ocidental africana, como o "grão-do-paraíso", e pimentas do Oriente, como a tão celebrada pimenta-do-reino.

Trata-se de muito mais que um ingrediente. Ela remete às antigas memórias mediterrâneas, região do mundo marcada pelo encontro do Oriente com o Ocidente. E, também, há pimentas nativas de uso milenar nas Américas.

Saber o quanto uma pimenta é picante é algo bem particular de cada pessoa. Muitos apaixonados por pimentas, por exemplo, têm um verdadeiro desejo de sentir a boca incendiar.

Esses ingredientes mágicos estão nas receitas e vão além dos cardápios, pois fazem parte de certas tradições culturais. As pimentas são símbolos relacionados à fertilidade, especialmente aquelas de forma fálica. Assim, também marcam o mundo mítico, os rituais agrícolas e têm sua função nos papéis sociais.

Dentro desse imaginário mítico, as pimentas são feitas de coral, ouro ou prata e usadas como objetos da joalheria ritual na região mediterrânea. Geralmente são adereços de uso corporal, mas também protegem espaços públicos: é um símbolo de proteção para residências e mercados.

No caso brasileiro, as morfologias das pimentas são variadas, especialmente as da categoria Capsicum. Nativas coloridas e

com odores peculiares, elas estão nas receitas e formam um longo e amplo acervo de possibilidades de sabores à mesa, além de preservar diferentes tradições culturais.

Um bom exemplo de tradição cultural é a comida de rua feita na Amazônia, com suas pimentas aromáticas e coloridas que marcam o imaginário tropical das florestas, em particular o preparo do tão saboroso tacacá, prato típico da região amazônica. São pimentas-de-cheiro que se misturam à goma de mandioca, camarões, jambu e tucupi, receita servida na cuia, estética e gosto peculiares que fortalecem os sabores de território nortista.

A rica biodiversidade do Brasil traz todo um universo de pimentas, com espécies nativas que fazem parte de uma longa tradição dos povos da floresta, como os nossos indígenas. Pimentas que marcam culturas e traduzem a natureza experimentada no cotidiano.

São centenas de tipos, cada qual com seu sabor e poder de cura. Simbolicamente participam de rituais que determinam lugares sociais de homens, mulheres e crianças. Desse modo, as pimentas são mitificadas e se tornam fundamentais na organização de povos e civilizações que vivem de maneira holística na floresta.

A pimenta está na história dos povos nativos das Américas, como por exemplo os maias, que há mais de 9 mil anos já preparavam o "tchocoatl" acrescentando vários tipos de pimentas *Capsicum* ao cacau, conforme os registros arqueológicos de Tehuacán, no México.

Na Amazônia, os indígenas Baniwa, reconhecidos pelo Iphan (2010) como Patrimônio Imaterial do Brasil devido ao seu sistema agrícola praticado na região do Rio Negro, também utilizam centenas de tipos diferentes de pimentas, que integram o complexo regional desta civilização nativa.

Apimentar a vida, introduzi-la na saúde, nos rituais religiosos, nas relações sociais, nas comidas; e, ainda, nos novos mercados de consumo; por exemplo, o povo Baniwa produz e comercializa a pimenta jiquitaia, preparada com várias pimentas secas e sal, e com alta picância

A jiquitaia foi globalizada, e chega às mesas de diferentes localidades do Brasil, e também de outros países; uma verdadeira especiaria milenar da Amazônia. Sabedoria que resgata um antigo sabor como nova opção para cardápios e paladares mundo afora.

Assim, a alimentação marca seu território e tem suas autorias coletivas e pessoais. E, nesse âmbito, as especiarias tropicais são com certeza as nossas pimentas.

4. Capsaicina: o componente

Os temperos acentuam, destacam e combinam os sabores das comidas. Entre as muitas opções de especiarias usadas para temperar temos a pimenta. Há muitos formatos e tipos variados, e elas podem ser usadas frescas (*in natura*) ou secas.

A pimenta é o segundo condimento mais utilizado no mundo, só perdendo para o sal. As americanas, especialmente, de cores emblemáticas – verde e vermelha –, contêm uma substância chamada capsaicina. Trata-se de um conjunto de componentes, os capsaicinoides, encontrados no interior dos frutos, que são responsáveis pela ardência e picância que trazem a sensação de fogo à boca.

A sabedoria tradicional aponta o uso da capsaicina pelos povos americanos há mais de 7 mil anos a.C., o que mostra a sua importância na saúde em diferentes terapias. Desde os povos indígenas do Brasil até os povos pré-colombianos dos Andes e da América Central (incas, maias e astecas), todos se deleitaram com a iguaria.

Na vida contemporânea globalizada há uma forte demanda por dietas, e a capsaicina atua no trânsito digestivo, acelerando o metabolismo e facilitando a digestão – com isso, queimando calorias indesejáveis.

Além da capsaicina, há outras substâncias que podem ser extraídas das espécies de pimentas *Capsicum*, como, por exemplo, as oleorresinas, óleos muito concentrados retirados de pimentas secas picantes. As oleorresinas são usadas na culinária, nos corantes e na medicina.

As oleorresinas da espécie *Capsicum* são preparadas com as pimentas de maior ardor, que são encontradas no continente africano, na Índia e outros países da Ásia.

A Pungência e ardor da pimenta

O método mais antigo para determinar os teores de pungência, ardência ou picância e calor das variadas pimentas é datado de 1912. O farmacologista Wilbur L. Scoville, da companhia Parke-Davis, propôs esse método para classificar as pimentas conforme a sua pungência (Escala de Scoville). É baseado no julgamento humano, portanto trata-se de uma avaliação subjetiva, passível de discordâncias e diferentes opiniões.

A técnica para determinar a pungência de pimentas utilizando alta tecnologia é *da pimenta que faz arder*

chamada Cromatografia Líquida de Alta Eficiência (HPLC – High Performance Liquid Chromatography) e foi desenvolvida por James Woodbury, da Cal-Compack Foods, em 1980.

O processo visa dissolver uma amostra de pimentas moídas em etanol saturado com acetato de sódio para separar os capsaicinoides, que então serão analisados com um espectrofluorímetro – aparelho que mede o nível de capsaicina em partes por milhão (ppm), as quais são convertidas em SU (unidade padrão), medida usada pela indústria. O método é sensível para 2 partes por milhão, cerca de 30 SU, o que significa dizer que testar pimentas individualmente tornou-se muito mais confiável.

Como o método HPLC é muito apurado, devemos ter em mente que há diferenças entre uma mesma variedade, que pode ser considerada quanto à localização de plantio, à estação, ao solo, fertilizantes usados, umidade e calor da região. Tudo isso pode alterar os resultados nos valores de pungência.

Segundo Scoville (1912, pp. 453-454), por muitos anos os farmacêuticos têm apreciado o fato das variedades de gengibre variarem em pungência e sabor, porém a *Capsicum* varia numa escala muito maior, o que parece ter escapado à atenção.

A causa da pungência, força principal, dessa espécie de pimenta é a capsaicina, um corpo cristalino ao qual E. K. Nelson afirmou ser tão quente que uma gota da solução de 1 em 1.000.000, ou menos que a milionésima parte de um grão, se fará reconhecer na língua. Ele encontrou uma variedade de *Capsicum* com 0,14% de seus princípios ativos.

H. C. Irish descreve 42 jardins de variedades e faz citações de autoridades no assunto para afirmar que diferentes variedades facilmente degeneram, ou mudam sob cultivo ou a falta dele.

Assim, a pungência da *Capsicum* varia não apenas de acordo com o tipo, mas também devido à variação de crescimento ou cultivo. A páprica, uma das mais moderadas, tem o crescimento da capsaicina totalmente livre, é uma pimenta não picante. Enquanto o Tabasco (molho) pode ser muito quente, a espécie tabasco nem sempre segue esta reputação.

Em outras palavras, o farmacêutico não pode, baseado apenas na especificidade de um certo tipo de *Capsicum*, ter a certeza, com segurança, da maioria de suas propriedades ativas medicinais. O melhor método de seleção parece ser o teste fisiológico, o que será mencionado novamente a seguir.

No comércio, a grandiosa busca pelas pimentas *Capsicum* é devido ao seu preparo como condimento, molhos, picles etc. Nesses produtos, além da pungência espera-se um rico e vibrante sabor. Para tais objetivos há os tipos Japan Chillies, Zanzibar Chillies e Mombassa Chillies. Sem dúvida, há outros tipos, porém esses parecem ser os principais. Os testes realizados com os três mostram que a Japan é muito mais rica e saborosa, mas não tão pungente quando comparada às outras, que são mais caras e fazem um condimento superior em qualidade. A Zanzibar fica próxima em pungência e sabor e a Mombassa é a mais pungente, porém menos saborosa.

Os testes fisiológicos são considerados um tabu, principalmente quando estão relacionados a determinadas partes do corpo. Assim, nesse caso, a língua passou a ser o órgão possível para a experimentação. Apesar da língua mostrar-se sensível para menos da milionésima parte de um grão, o teste pode ser superestimado, e mostrar uma vantagem do analisado quando este já tem o hábito de comer pimenta, com isso a fidedignidade do teste se mostra longe ou abaixo do esperado quando se quer comparar os diferentes tipos de *Capsicum* em termos de porcentagem de capsaicina.

O método que tenho usado é como segue: uma pequena parte da *Capsicum* é macerada e deixada por uma noite em 100 ml de álcool. Após mexer e filtrar, é então adicionado adoçante líquido em proporções definidas, e uma fraca pungência é perceptível na língua.

Por esse método obtém-se o seguinte: a Japan foi testada para 1 em 20.000 e para 1 em 30.000; a Zanzibar para 1 em 40.000 e 1 em 45.000 (dois lotes), e a Mombassa para 1 em 50.000 e para 1 em 100.000. De um limitado número de testes o tipo Mombassa parece ser decididamente forte em capsaicina. Nós não tínhamos encontrado, dadas as observações não serem longas o bastante, qual seria o limite da quantidade aceitável de substância que pudesse representar a média de droga a ser usada; porém, constata-se não ser um problema obter a intensidade da capsaicina entre 1 e 50.000, ou mesmo acima.

A oleorresina presente na *Capsicum* pode testar 1 em 150.000 e acima. Quando é usada como um rubefaciente (que provoca hiperemia na pele pelo aumento da circulação sanguínea no local), o sabor não é alterado, porém é desejável uma alta quantidade de capsaicina.

Pode ser interessante ao governo que a *Capsicum* comercializada caia também no teor de gordura e cor. As oleorresinas examinadas continham apenas 5% de gordura insolúvel em álcool, enquanto outras continham acima de 50%. Já a mais pungente oleorresina (baseada numa mistura inteira) continha considerável quantidade de gordura. Em algumas instâncias, era de um tipo verde, totalmente livre de vermelho; em outras, era laranja, e ainda em outras de um vermelho profundo. Nenhuma relação de cor ou gordura com pungência pôde ser observada.

A partir de tais explanações, ficam as seguintes questões a serem discutidas:

• Mr. Beringer afirmou que muita gordura sempre poderia ser encontrada em um fruto bem desenvolvido, com sementes bem desenvolvidas, e que ao selecionar as *Capsicum* deveríamos evitar os grandes frutos maduros, pois nesses as sementes são completamente desenvolvidas.

• Mr. Raubenheimer perguntou ao autor do ensaio se ele havia descoberto alguma relação entre a cor do pó da *Capsicum* e a tintura final. Em sua experiência, ele não fora capaz de descobrir nenhuma relação de semelhança. Não importava qual fosse a matiz do pó, a tintura sempre apresentava cor avermelhada.

• Mr. Eldred perguntou se a quantidade de gordura na oleorresina não apresentava alguma relação com a pungência. Mr. Scoville, em resposta, declarou que seu trabalho iniciara como um estudo sobre a oleorresina, em que foram separadas as gorduras insolúveis em álcool. Ele observou que as gorduras variam de 5% para 50%. Cada conteúdo de 5% de gordura era comparativamente fraco em pungência; já aquelas que tinham a vagem grande eram mais pungentes. No entanto, ele não tinha certeza que isso ocorria devido à grande quantidade de gordura, nem pôde descobrir qualquer relação entre a pungência e a cor da *Capsicum*. O único teste que considerara satisfatório foi o fisiológico. Ele examinou uma série de amostras, testando 1 para 100.000.

5. A pimenta e a Amazônia

Os povos indígenas do Alto Rio Negro, Amazônia, têm uma riquíssima culinária. E uma das maneiras deles tornarem a comida "ardida" é usar os vários tipos de pimenta *Capsicum* nos preparados, cujas receitas do mundo feminino permanecem como um verdadeiro segredo. Estas misturas de pimentas processadas, secas ou in natura, chamam-se jiquitaia.

Já a tamorida ou damorida, pimentas frescas, folhas de pimentas e tucupi são usadas para produzir um molho, muito presente nas refeições do povo Wapichana. São usadas as pimentas *Capsicum* nativas de terras amazônicas.

São muitas as pimentas nativas dessa região – mais de 180 morfotipos e em torno de 165 espécies cultivadas domesticamente. Neste conjunto são predominantes a malagueta (*C. frutescens*), a murupi (*C. chinense*), e a olho de peixe (*C. chinense*).

Suas coletas pelas etnias indígenas no ecossistema das florestas foi se tornando mais seletiva em virtude do acesso. Contudo, a cultura da pimenteira nas aldeias, uma atividade agrícola geralmente realizada por senhoras, ou por famílias que se dedicam ao plantio, manipulação e distribuição das pimentas nas aldeias, também é do comércio regional. As senhoras da etnia Baniwa, por exemplo, fabricam artesanalmente pimentas desidratadas, por meio da mistura de diferentes tipos de pimentas moídas, resultando na jiquitaia.

As senhoras indígenas "pimenteiras" têm um papel social e simbólico que se une à sabedoria tradicional do plantio das pimentas e de outros produtos de consumo familiar, verdadeiros jardins comestíveis.

Sem dúvida, as relações de trabalho dessas pimenteiras fazem parte de uma complexa base cultural, pois as pimentas têm diferentes usos simbólicos para cada caso, podendo ser comestível, ritualística etc. Estão integradas ao sistema social das famílias, da comunidade indígena.

Para os macuxis de Roraima, por exemplo, as pimentas são uma proteção para entrar nas matas, a morada dos mitos e dos animais fantásticos. Assim, as pimentas funcionam e representam um tipo de imunidade contra a magia negativa.

Elas acompanham o cotidiano das aldeias, os costumes ancestrais que compõem os hábitos alimentares. O molho bem apimentado feito das pimentas damorida (ou tamorida) vai bem com carne de caça ou peixe.

Outro ingrediente interessante é o arubé, popularmente conhecido como "a mostarda de Amazônia". Trata-se de uma massa feita de pimentas, sal, cebola e cheiro-verde, entre outros ingredientes. O povo Macuxi chama o arubé de cumaxi.

Sem dúvida, as pimentas têm um papel fundamental na base alimentar dos povos da floresta, os nossos indígenas. Elas guardam um conjunto de valores, identificados na memória alimentar e culinária de cada povo. Também formam a identidade das comunidades indígenas, pois marcam relações sociais de gênero e de hierarquia.

Por exemplo, a jiquitaia é a base da alimentação, feita pelo processo de secagem das pimentas ao sol, ou torradas no forno à lenha (ou na pedra). Então, depois, essas pimentas secas são moídas no pilão, e, durante o preparo, adiciona-se sal.

Atualmente, a distribuição desse produto – a jiquitaia – ampliou-se para outros mercados, passando a integrar o circuito gastronômico de restaurantes que buscam novos ingredientes, em especial, ingredientes nativos. Com isso pretende-se criar um cenário novo e ao mesmo tempo milenar da cozinha brasileira.

As pimentas simbolizam contatos mágicos com os mitos ancestrais, com os animais da floresta e suas representações míticas, e interagem com a vida cotidiana dos indígenas. Assim, seu uso torna-se ritualístico, com finalidades conforme os princípios e as normas de cada comunidade.

Vejamos aqui alguns exemplos do uso das pimentas que vão além das receitas e dos hábitos alimentares. Os indígenas de Roraima, por exemplo, têm uma pimenta nativa presente nas serras ou nas regiões do centro-norte e nordeste do Estado. Estas pimentas são plantadas de acordo com o mito do Curupira; e por isso seu nome é pimenta do Curupira – Atái-tai; ou *pimi'ró*, pimenta pequena na língua dos macuxis.

É uma *Capsicum chinense*. Os indígenas a utilizam ritualisticamente e também para uso medicinal. Os ianomâmis, os macuxis, os wapichanas e os taurepangues utilizam a malagueta (C.

frutescens) para curar febre e malária. Alguns indígenas macuxis mais velhos ensinam que o ato de introduzir pimenta no ânus dos adolescentes masculinos os torna guerreiros. Trata-se de um ritual de construção do ideal masculino. Ainda, para se determinar o papel masculino, segundo esta tradição, os meninos que se submetem aos ritos de passagem para a vida adulta recebem lanhos nos seus corpos e sobre estes são colocados uma pasta feita de folhas *curawá (Ananas erectifolius)* maceradas e pimenta-malagueta fresca.

Os preparos tradicionais feitos com pimentas nativas, *Capsicum*, e com sal, fazem parte um rico acervo de temperos milenares. O sal usado pelos indígenas é obtido pela evaporação da água do mar e pela queima de certas madeiras.

As pimentas utilizadas neste processo que forma a jiquitaia são nativas, do gênero *Capsicum* em suas muitas variedades; é um desfile de exuberância da biodiversidade.

O conceito "temperar" é amplo e diverso. A jiquitaia é um produto agregado à receita, não se trata de um condimento usado para apimentar, pois esse conceito de apimentar é da cultura europeia, não indígena.

Uma das características que valoriza o gênero *Capsicum* é o ardor marcante. Isso distingue esta de outras pimentas, como a africana grão-do-paraíso, de gosto sutil, ou da pimenta-preta (a nossa tão conhecida pimenta-do-reino).

As pimentas americanas têm uma presença dominante no diverso comércio contemporâneo de especiarias no mundo. Há uma verdadeira busca por sabores picantes, acentuados, no paladar mundial. E as pimentas do gênero *Capsicum*, ardidíssimas, remontam a longas experiências alimentares, há mais de 9 mil anos na América do Sul e na América Central, de preparos tradicionais, representações e relações dos seres humanos com os deuses míticos.

O uso abundante e cotidiano da pimenta na cultura indígena brasileira é relatado por todos que escreveram sobre o Brasil no século XVI. Como nota Anchieta – comem-se estas folhas (taiobas) cozidas com peixe em vez de espinafres (...) os índios as comem cozidas na água e sal e com muita soma de pimenta. E também Hans Staden – quando os índios cozinham peixe ou carne, põem dentro habitualmente pimenta-verde (...) Gabriel Soares de Sousa relata que também comiam as pimentas inteiras, misturadas na farinha. (Hue, 2009, pg. 96.)

Do texto clássico de Sousa chegam olhares etnográficos sobre os preparos com as pimentas que ardem, que têm picância acentuada ao paladar do europeu:

Em que se declara quantas castas de pimenta há na Bahia. (...) segundo nossa notícia; e digamos logo que se chamam de cuihem, que são tamanhas como cerejas, as quais se comem em verde, e, depois de maduras, cozidas inteiras com o pescado e com os legumes, e de uma maneira e de outra queimam muito, e o gentio come-a inteira, misturada com a farinha. Costumam os portugueses, imitando o costume dos índios, secarem esta pimenta, e depois de estar bem seca a pisam de mistura com o sal, ao que chamam jiquitaia, em qual molham o peixe, a carne, e entre os brancos se traz no saleiro (...). Há outra casta que chamam de cuihepia, a qual tem bico (...). Há outra casta que chamam de cuihejurimu, por ser da feição de abóbora (...). Há outra casta, que chamam de cumari, que é bravia e que nasce nos matos e campos e pelas roças, a qual nasce do feitio dos pássaros (...) queima mais que todas as que dissemos, e é a mais gostosa que todas (...). (Sousa, pp. 177-178.)

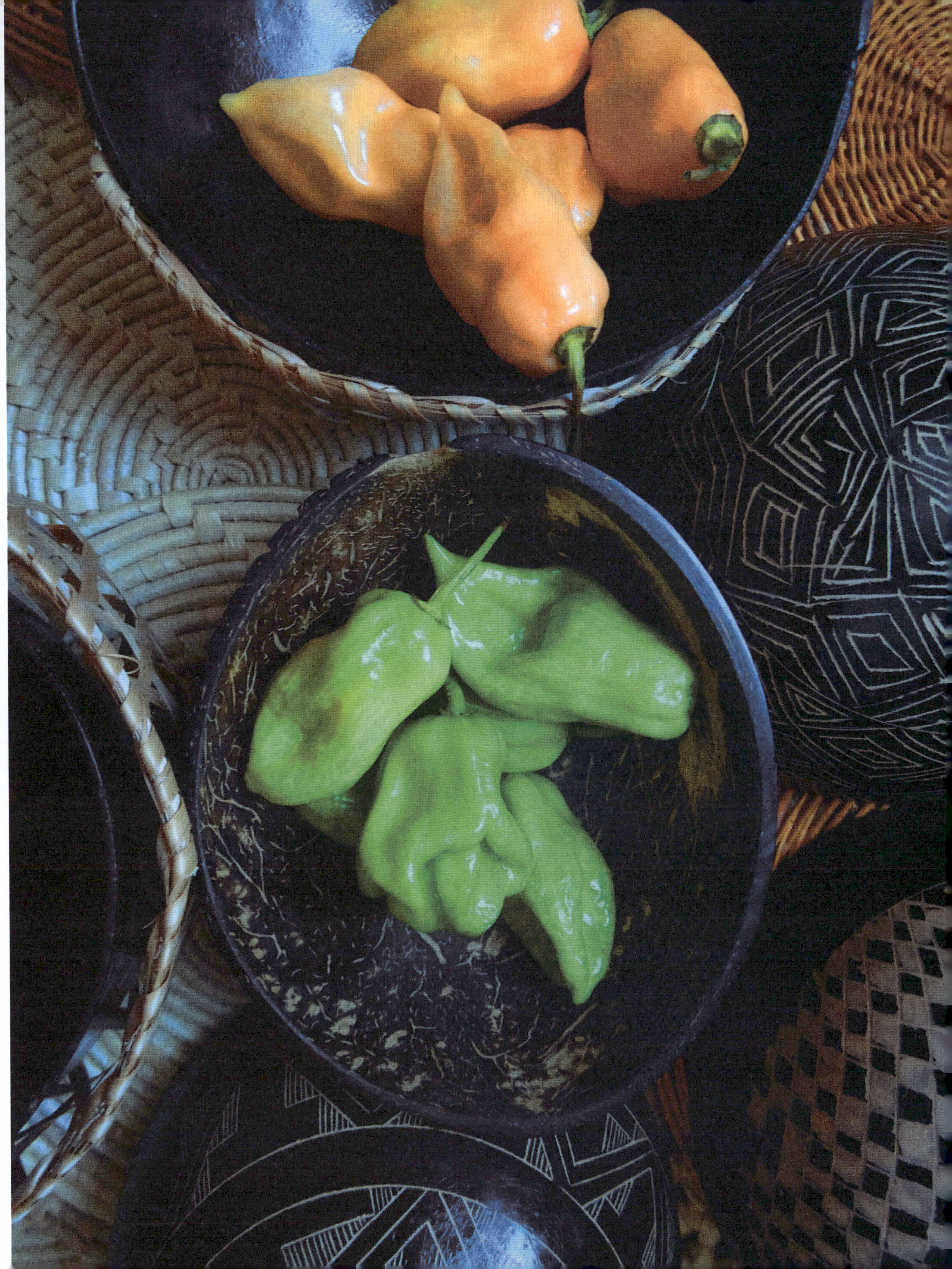

6. Ataré: a pimenta usada para falar

Cada ingrediente é um tema, é um recurso que vai muito além das receitas. Eles são usados nas pesquisas da cosmetologia, na religiosidade, na arte e em outras manifestações culturais. São manifestações que expressam a sabedoria tradicional, preservando memórias coletivas e étnicas.

Sem dúvida, a pimenta é uma das especiarias mais usadas na culinária. Dela se faz receitas salgadas e doces, bebidas e muitas outras delícias da mesa e dos rituais do cotidiano. A presença das variadas pimentas na culinária dos povos e civilizações é muito ampla, e seus significados trazem referências sociais e religiosas.

Cada símbolo da natureza tem um significado, e vários símbolos relacionados ganham outros significados, fornecendo identidade. A pimenta é um importante elemento de comunicação com o sagrado entre os povos da África Ocidental, especialmente os iorubás.

O "atá" ou "ataré" é conhecido no Brasil como pimenta-da-costa, pois esse nome faz referência à pimenta que chegava da costa ocidental africana, também conhecida como Costa dos Grãos, Costa da Guiné, Costa da Malagueta, entre outros nomes.

Esta pimenta, que tanto marcou os hábitos alimentares na Europa a partir da Idade Média e seguiu até o Renascimento, era conhecida como grão-do-paraíso (ou pimenta-da-guiné). Ela transformou e criou cardápios, estava presente em pratos de carne, peixe, ave e nas bebidas, como cerveja e vinho. Juntamente com outras especiarias, o grão-do-paraíso fez da mesa um lugar para apreciar e descobrir novos sabores. Une-se a outra pimenta seca, a preta, a nossa famosa pimenta-do-reino.

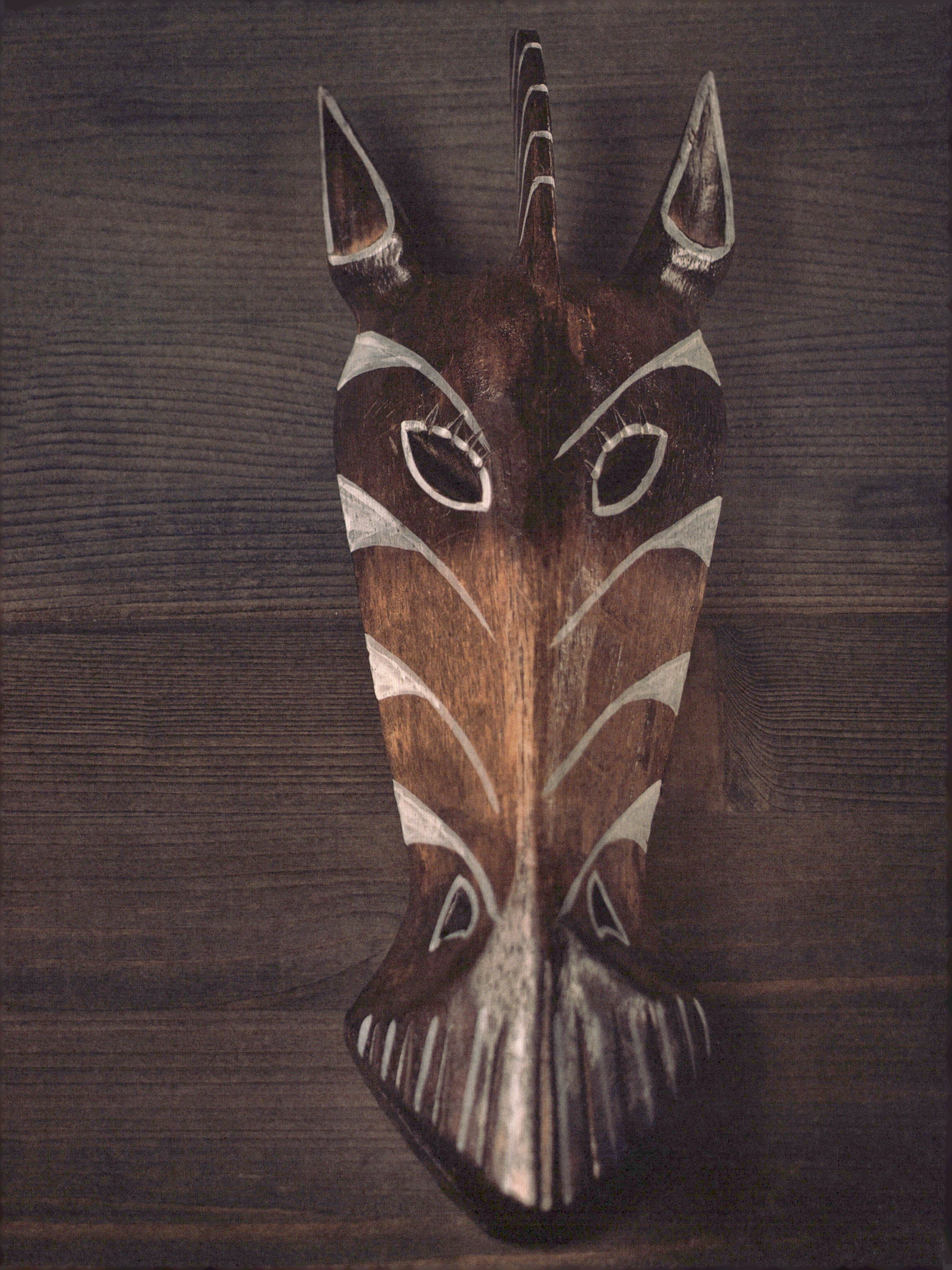

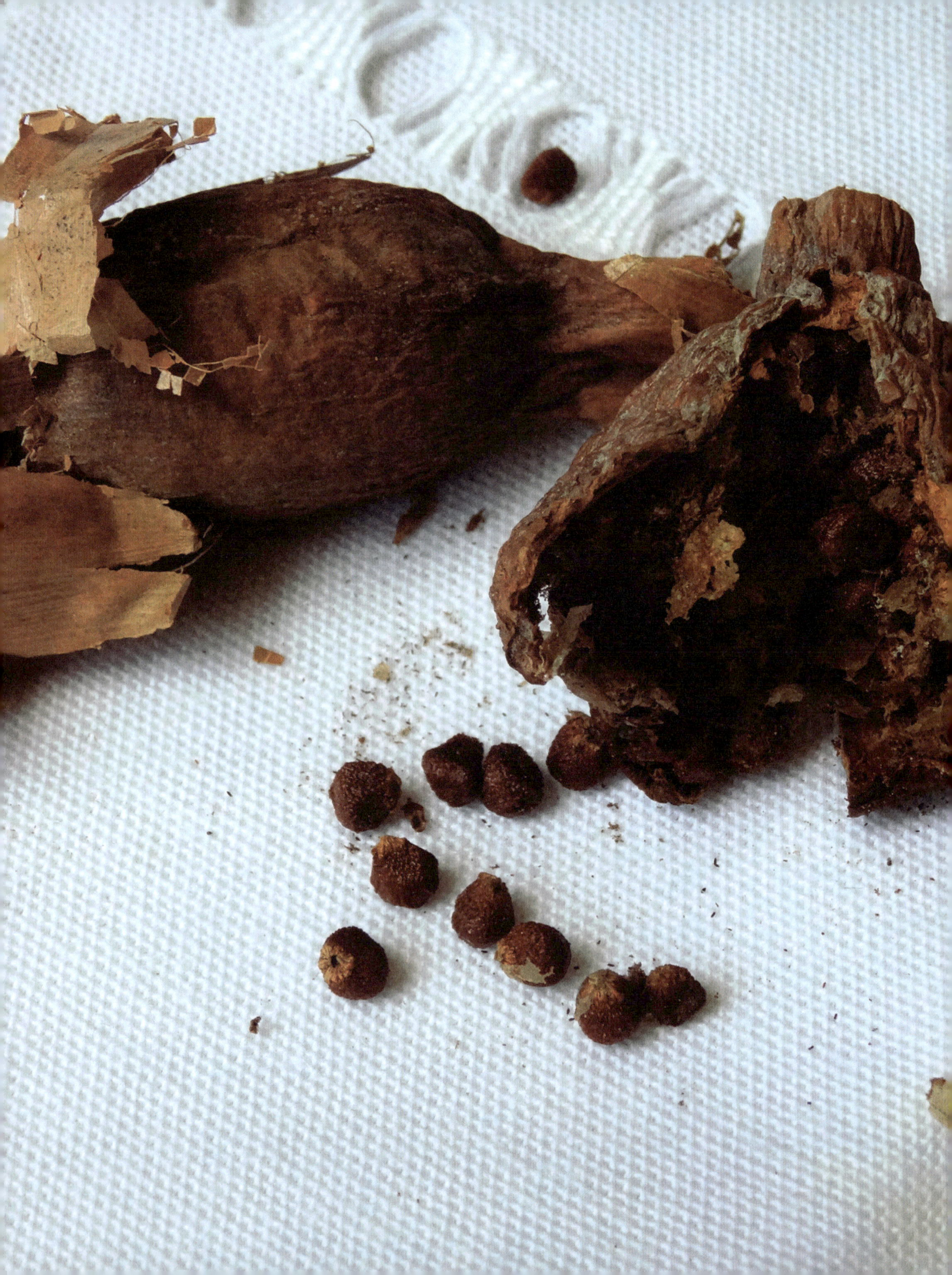

No imaginário afrodescendente brasileiro o grão-do-paraíso – *Aframomum melegueta* (ou *Amomum melegueta*) – é valorizado na gastronomia como pimenta-da-costa, que se mescla nas receitas tradicionais de matriz africana com outros temperos, também ditos da Costa. Exemplo: bejerecum (*Xylopia aethiopica*) e lelecum (*Uapaca heudelotti*) – verdadeiras especiarias vindas da África.

O uso desses produtos, tão especiais, vai além da apetitosa gastronomia. Eles também funcionam como importantes referências de memória ancestral coletiva, no caso, das tradições iorubás no Brasil. Reafirmam identidades que muitas vezes simbolizam um elo com o continente africano, que passa a integrar as receitas. E assim também se come – se prova – um pouquinho da África.

A pimenta-da-costa tem um uso especial nas falas rituais, ou seja, o hálito é preparado no ato de mastigar as pimentas secas para assim ser feito o "afó", pois para os iorubás essa palavra é sagrada, então para se comunicar com o sagrado é preciso ter "afó" – para realizar a comunicação com o orixá.

A palavra, por meio do hálito, serve para se relacionar intimamente com o sagrado, e quando está junto aos objetos sacralizados, nos vaticínios, ou em outras realizações que precisam da palavra, é a pimenta que prepara tais diálogos identitários.

As pimentas também estão nas muitas receitas da gastronomia iorubá. Há uma base tradicional e um estilo próprio de comer dos iorubás. Por exemplo, sobre uma massa feita de inhame pode ser colocado um refogado assim: feijão, azeite de dendê e muita pimenta, fresca e seca (esse guisado também pode ser o acompanhamento do acaçá, feito de massa de milho branco, e sem temperos).

Nas tradições culinárias dos povos iorubás, as comidas sem tempero são acompanhadas de outras bem condimentadas, quase sempre com pimentas, e essa busca pela harmonização cria um estilo e uma identidade que traz sabor e estética para cada prato cotidiano e festivo.

Incluir ingredientes africanos nos preparos tem um sentido especial. Eles são selecionados e consumidos como uma espécie de afirmação ao pertencimento das tradições, permitindo a continuidade do modo de ser iorubá.

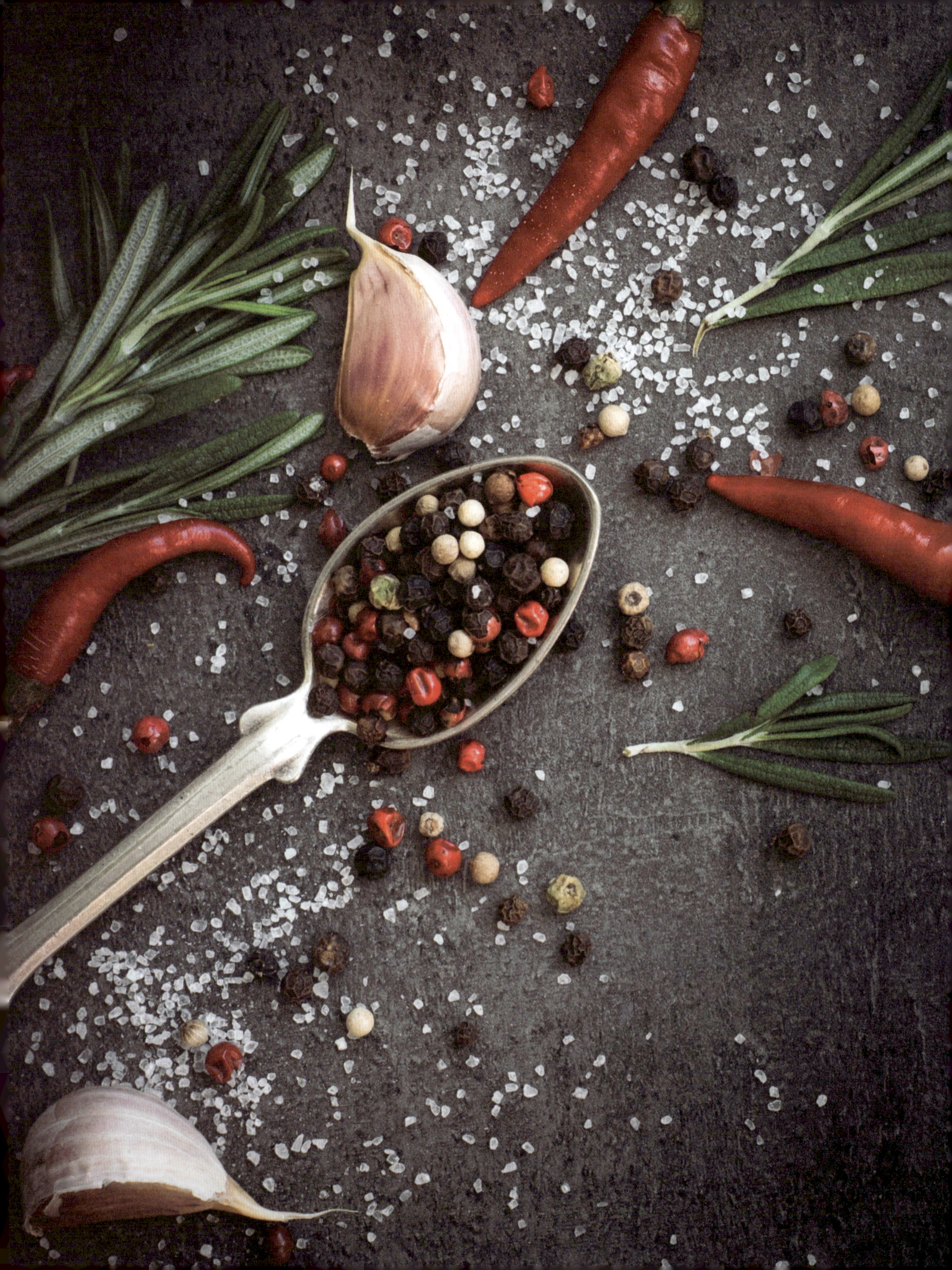

1. Comida apimentada

Uma maneira subjetiva de falar sobre os sabores acentuados especiais nos temperos é: salgado, adocicado, insosso, agridoce, apimentado.

Os ingredientes têm uma função culinária dupla: são simbólicos e revelam identidades, pois fazer uma comida vai muito além do simples ato de cozinhar, picar e unir.

Também é comum dizer que uma comida está condimentada quando o tempero dela não é habitual para nós, principalmente se for uma comida picante.

O conceito de picância é cultural. Assim, ofereça para um vietnamita uma comida considerada apimentada e depois a um brasileiro. Ela provocará diferentes sensações em ambos, e o conceito de picância média também será diferente para cada um.

No caso brasileiro é comum dizer que "a comida baiana é apimentada", afirmação que nasce de um sentimento relacionado ao típico. São marcas de um olhar turístico que traduzem o exótico.

Ardência ou picância é uma escala com diferentes significados para cada sociedade, segmento étnico e grupo. Ser ou não apimentado nasce de uma orientação cultural de um povo, quando ele constrói suas noções próprias de paladar na educação dos sabores. O longo processo da formação de hábitos alimentares localiza e traduz cada gosto de uma maneira diferente, e isso está aliado aos muitos conceitos e sentidos referentes à própria comida.

Porém, o mercado globalizado oferece produtos diversos, que aproximam diferentes hábitos alimentares. Entretanto, trata-se de uma comida que integra uma cultura massificada, que passa a servir apenas ao consumo, abandonando o sentido histórico e cultural.

Esse cenário ajuda a explicar a noção do que é considerado condimentado e/ou apimentado, pois é a cultura que determina a intensidade de picância de algo. As pimentas se distinguem no paladar de cada cultura e em cada receita, e são tradutoras e informantes sobre as características do local a que pertencem.

Muitas comidas são apreciadas devido às pimentas que levam no preparo. E, sem dúvida, marcam um *terroir*. Através da alimentação podemos saber a relação do homem com a sua história, tradição e lugar social. Há inclusive o que é pecado pela boca do homem, pois no âmbito da nossa civilização judaico-cristã ocidental, o prazer de comer traz um sentimento sexualizado; assim, tudo que é picante e intenso carrega consigo questões morais e religiosas.

O prazer que dá um tempero relaciona as pimentas ao tema da sexualidade: a pimenta aquece o corpo.

A comida também está diretamente relacionada aos elementos da natureza, por isso nesse contexto também há uma simbologia.

Sem dúvida, comer pimenta é um indicador de coragem e transgressão; de capacidade de ingerir algo quente, como se estivesse comendo o próprio fogo.

A pimenta faz arder, por isso remete ao calor, o que a relaciona ao símbolo solar do milho – uma representação simbólica do sol, do ouro, o sol que é derretido e se transforma em alimento.

Portanto, o fogo, esse importante símbolo cultural, é um marco na relação entre o ser humano e a comida.

Os elementos da natureza, fogo, terra, água e ar, são representados por mitos que ampliam os seus domínios também sobre os alimentos. Assim, há uma forte relação entre o sagrado e a comida.

A história funciona como um tempero especial. E o conhecimento se torna um dos mais importantes temperos, pois cada ingrediente representa um tema no conjunto da receita, unindo-se à compreensão de um mito.

No caso da mitologia dos orixás, temos o amalá ou omalá. Essa comida é uma oferenda a Xangô, presente em um dos mitos mais populares e reveladores de significados. Ele é real, herói, viril, guloso; o homem quente que também come fogo. Assim, a comida preferida de Xangô tem muita pimenta, de vários tipos, como pimentas frescas e nativas, pimentas brasileiras.

A receita africana do amalá, dos iorubás, é feita à base de inhame bem cozido e servido na forma de pirão. Contudo, nas tradições afrodescendentes do Brasil, o amalá é feito à base de quiabo, dendê, temperos e, principalmente, de pimentas; tudo é guisado e muito bem cozido até virar quase um mingau. Assim, as pimentas representam o masculino – o quente, o fogo e tudo que se relacione a esse guloso orixá.

Outro exemplo culinário de matriz africana é o gindungo. O nome vem do sistema linguístico Bantu, da língua Kimbundo (ki-dungo, ndongo, ndungo). Esta pimenta fresca, do gênero *Capsicum*, também é muito consumida no Brasil (piripiri em Portugal, África e Angola).

(...) usam em profusão destes frutos [ndungu], adubando energeticamente as suas comidas, o infundi, a quitaba, feita de jinguba ralada, a quinquanga, preparada com a mandioca e outros.

(Conde de Ficalho, 1944.)

Outros pratos da cozinha tradicional de Angola inserem o gindungo em suas receitas: arroz de quitetas, bufete, cação à moda de quimbundo, lagosta cozida com gindungo, muamba de peixe, mufete de cacusso, muzonguê, quibebe, quiluanda, funge de rabo de boi, ginguinga, súmate, quitande, quizaca.

É comum encontrar gindungo para consumo em forma de molho, feito à base de azeite de oliva, vinagre, dendê entre outros. Uma receita tradicional de Angola que leva gindungo é a quicuanga.

RECEITA DE QUICUANGA ANGOLANA

INGREDIENTES: mandioca, gindungo, folhas de bananeira e sal (todos a gosto).

MODO DE FAZER: descasque as mandiocas (deixadas na água de molho por 4 dias para amolecer). Pile a polpa e acrescente sal e gindungo; de maneira artesanal, molde essa massa em formato de "queijinhos"; na sequência, embale todos em folhas de bananeira. Geralmente as folhas de bananeira são preparadas para ter elasticidade: passe-as ao fogo ou escalde-as em água quente para adquirir a textura desejada. Por fim, a massa temperada e embalada na folha é cozida ou assada, sendo um acompanhamento ideal para pratos com peixe.

8. Comida da Bahia, comida quente

No imaginário mundial sobre a cozinha regional brasileira, é consenso que tudo que se come na Bahia tem pimenta, diga-se muita pimenta.

Inicialmente, vemos vários temperos na cozinha baiana, pois há um encontro entre a cozinha oriental (com o uso das especiarias) e as cozinhas de tradições nativas, americanas (com o uso das pimentas frescas). Assim, a pimenta-do-reino se une à pimenta-cumari, a dedo-de-moça, entre outras.

Certamente, os muitos cardápios das cozinhas do Recôncavo e do Sertão da Bahia mostram essas tendências culinárias.

O prato marcante, sem dúvida, é o acarajé, símbolo da Bahia. E, há uma tendência a consumir o acarajé "quente", isto é, com pimenta, e não recém-frito.

Ainda integrando esse cardápio do tabuleiro da baiana está o abará, feito com massa de feijão-fradinho, dendê e, nas receitas tradicionais, pimenta (além da pimenta da massa é também comum acrescentar molho de pimenta).

Assim, mesmo quando o abará e o acarajé estão já frios, quando acrescidos de pimenta são considerados "quentes". Isso remete ao entendimento de "fogo à boca", o conceito de quente, e a comida da Bahia, por preservar nos seus preparos culinários as pimentas secas e frescas em quantidades especiais, é tida como uma cozinha referenciada devido à sensação de "quente".

Nesse contexto soteropolitano, o destaque é a cozinha dos terreiros de candomblé, verdadeiros memoriais de receitas e sabores. Muitos dos pratos que fazem parte do cardápio dos deuses africanos são os mesmos que estão nas mesas do cotidiano e das festas baianas.

Nas receitas sagradas, com sentido e uso religioso, o acarajé, por exemplo, é o bolinho de feijão frito no azeite de dendê, sem molho nagô, ou outro tipo de complemento – diferentemente do acarajé do tabuleiro das baianas de rua.

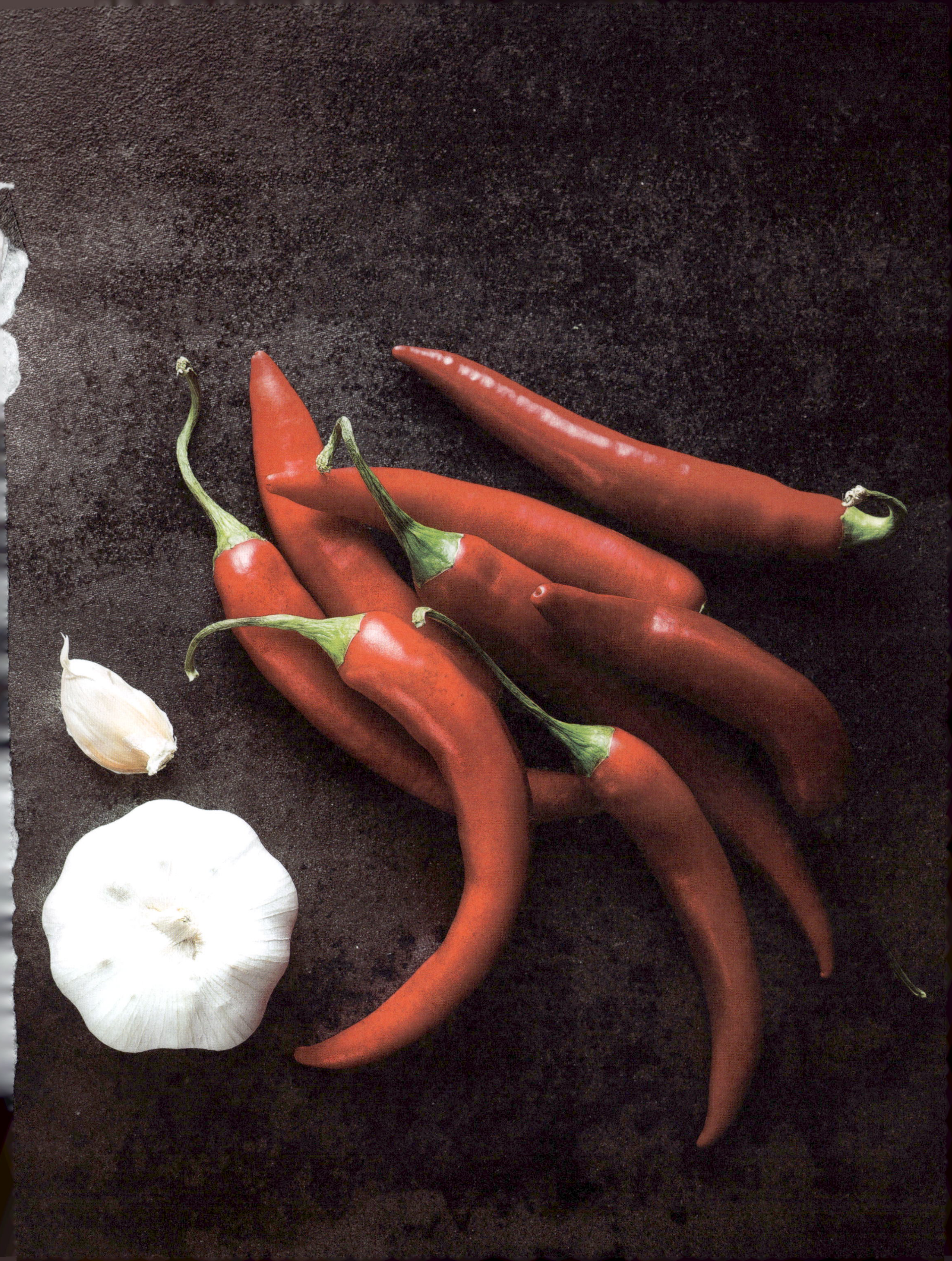

O amalá, por exemplo, comida votiva do orixá Xangô, é tradicionalmente muito apimentado, e há todo um sentido no uso das pimentas. Oferecido a Xangô no peji (santuário), depois é servido ao público que participa das festas nos terreiros.

Porém, as receitas sagradas também têm comidas "frias", como o ebô de Oxalá, que é feito à base de milho branco bem cozido em água sem temperos.

Na culinária mundial também há o conceito de "quente", só que atribuído em relação às cores das comidas. Em algumas culturas as comidas vermelhas são consideradas quentes, pois remetem ao imaginário do fogo, do sol. Contudo, muitas vezes o sabor delas pode ser suave, com temperos delicados.

Interpretar o conceito de condimentado/apimentado para cada cultura traz um universo fantástico para dentro da culinária, além de resgatar memórias e valores de um povo.

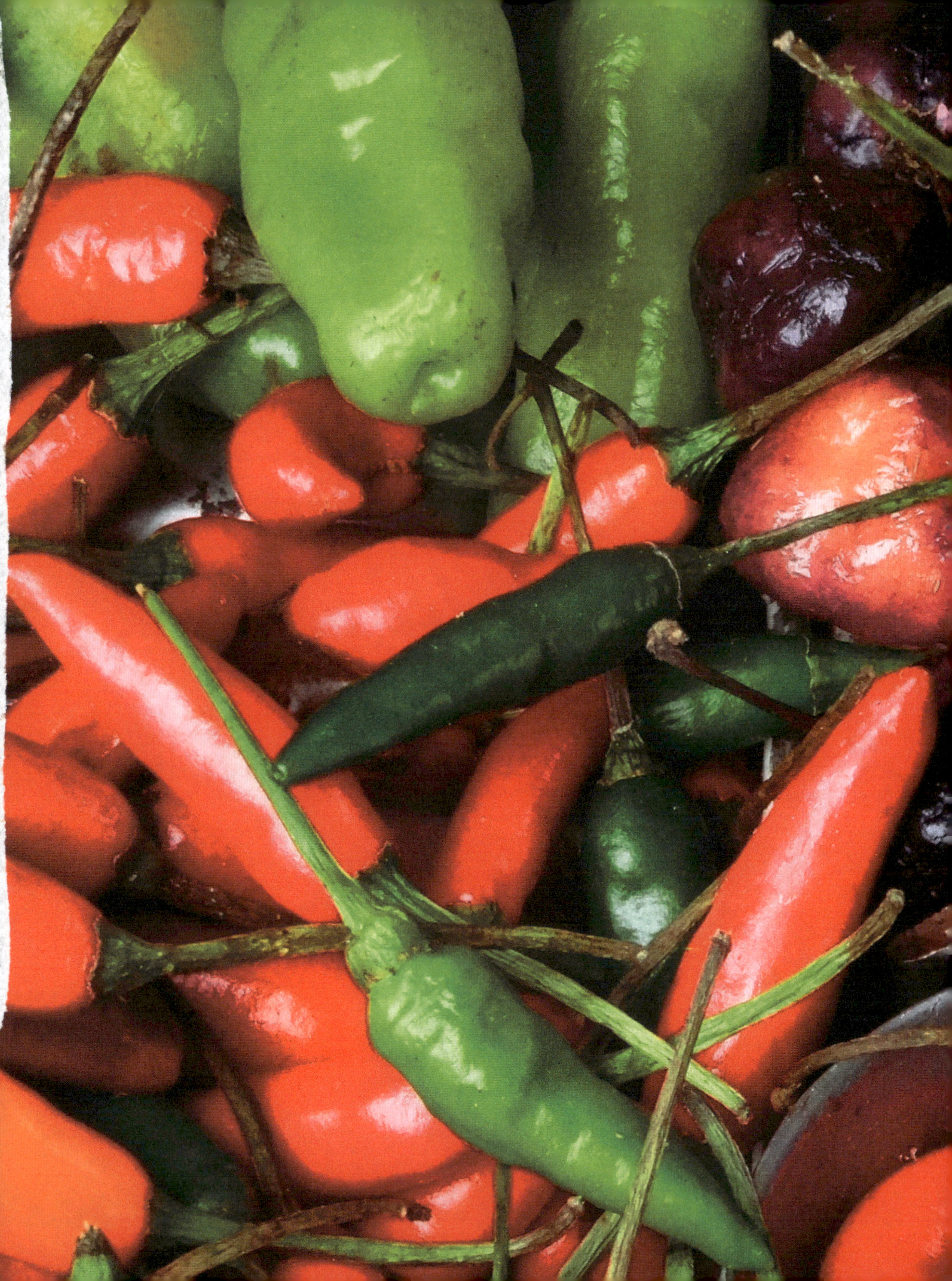

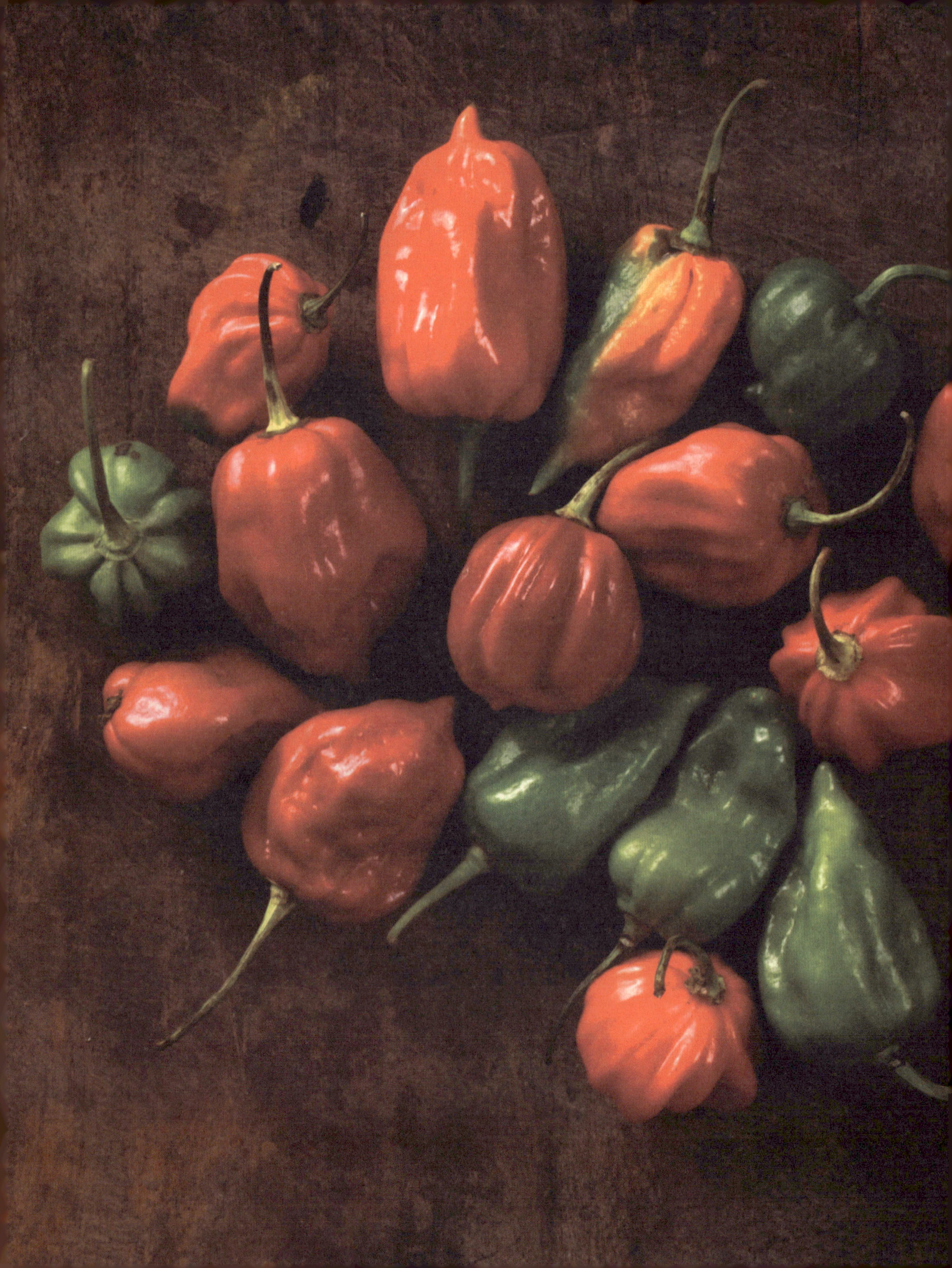

9. A cumari, o tempero do tacacá

Uma comida de rua não é apenas uma comida na rua; há profundas singularidades nessas categorias que marcam os territórios alimentares, os processos tradicionais de fazer e comercializar a comida.

Comer não é exclusivamente o desejo de saciar a fome. O ato de comer é um momento ritualizado, repleto de significados sociais e culturais.

Quando alguém come na rua há uma dinâmica especial durante o consumo: refiro-me a quando se come de pé, algo bastante tradicional, mas que atualmente se entende apenas por fast-food. Assim, na contemporaneidade as comidas oferecidas em espaços públicos ganharam outros significados.

Há comidas preparadas para ser consumidas no ato, rapidamente; outras, para se apreciar lentamente. Tudo varia em virtude da natureza do alimento e de como este é culturalmente interpretado num contexto de rua, juntamente com os seus rituais de comensalidade.

São consideradas comidas de rua aquelas que se tornaram habituais em determinados lugares e horários nas cidades, tudo numa verdadeira integração de simbologias que se unem à história da cidade.

É forte a tradição de comer tacacá na Amazônia. Ele tem um forte sentido telúrico, porque usa ingredientes locais e é preparado com a sabedora tradicional dos povos da floresta.

Trata-se de uma comida de final de tarde, que marca um costume de se alimentar antes do jantar, o que proporciona os mais variados encontros e momentos de sociabilidade. E os consumidores manifestam suas preferências por certas "tacacazeiras", as que consideram conhecer melhor as receitas e processos de preparo, preservando as características culinárias, além de atender ao paladar, ao gosto pessoal.

Os consumidores, nas suas escolhas por cozinheiras e cozinheiros, buscam especialmente os temperos, que determinam uma verdadeira assinatura de sabores.

Entre os muitos ingredientes da cozinha do Norte destacam-se os produtos derivados da mandioca e as pimentas nativas; juntos, fazem parte da construção do imaginário alimentar desta região.

No caso do tacacá, comida que se estende por toda a Amazônia, notabilizou-se nas tradições culinárias do Pará, juntamente com a maniçoba. Trata-se de um tipo de sopa, feita com a goma da mandioca, tucupi, pimenta-de-cheiro, cumari amarela, cumarim, pimenta-apuã, ou pimenta cumari-do-pará. Esta pimenta tem um ardor muito acentuado e um perfume característico; suas cores variam de amarelo, verde a alaranjado e fazem o tacacá ser uma verdadeira instalação comestível. E não podemos esquecer o verde do jambu e o róseo dos camarões secos, que complementam este prato servido na cuia tradicional. É uma comida para ser degustada na cuia, um utensílio que marca a região amazônica, em especial o Pará.

Sem dúvida, cada utensílio se integra à estética e ao gosto da comida, pois ultrapassa seu sentido funcional: antes de tudo, é simbólico, compõe a compreensão da comida como um todo.

O tucupi, temperado com as pimentas frescas, segue um longo processo de feitura artesanal, a partir do sumo da mandioca. Este caldo é conhecido como molho de tucupi com pimenta, e há outros usos para esse molho na cozinha regional. O processo artesanal para fazer o tucupi leva em torno de cinco dias! E, pimenta-cumari também é outra forte marca da região.

São alimentos que trazem a floresta, os ingredientes nativos, os sabores amazônicos, tudo para dentro de uma cuia, numa verdadeira síntese de simbolismos e sabores. É o sabor de uma região condensada num pequeno utensílio, diga-se, de grande beleza, que acomoda uma rica e profunda culinária, reconhecida tanto em sua estética quanto em seu sentido tropical.

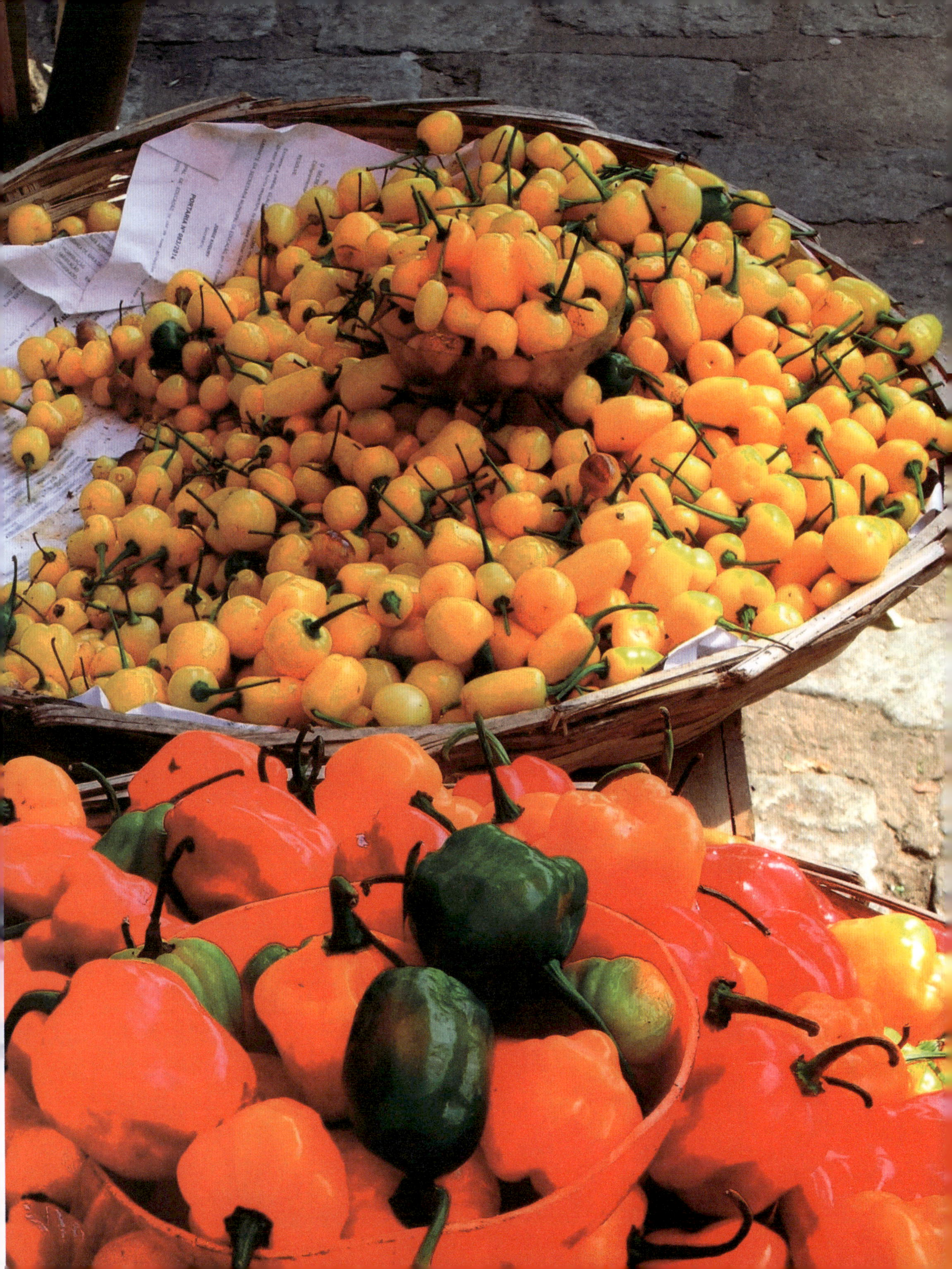

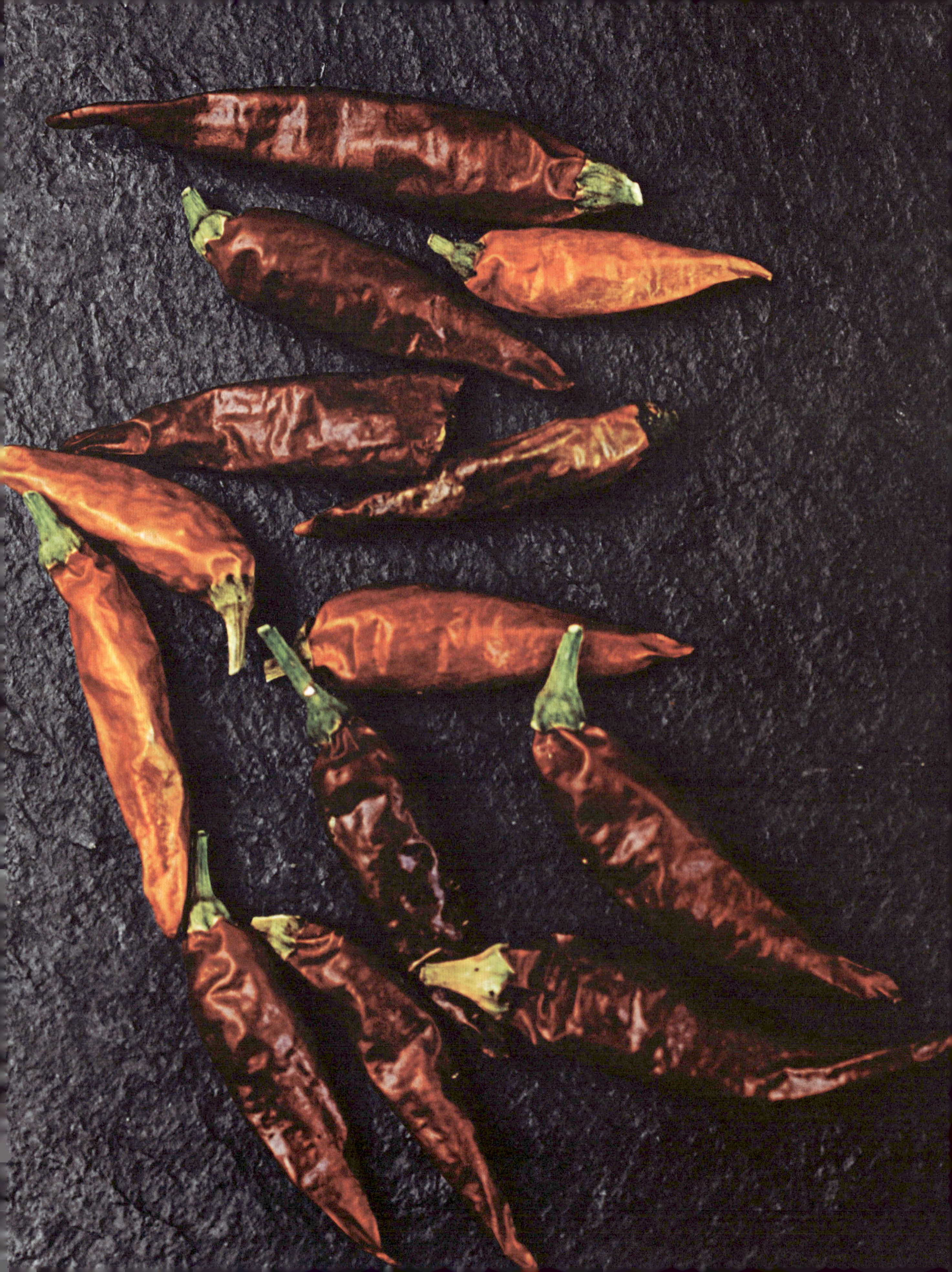

10. A malagueta, um ideal de pimenta

A pimenta-malagueta – *Capsicum frutescens* – é, com certeza, uma das pimentas mais incorporadas ao imaginário geral do brasileiro. Assume um lugar especial no conjunto das muitas e diferentes espécies que fazem parte das nossas mesas regionais, pois uma coisa é certa: o brasileiro gosta de pimenta.

De cor vermelha intensa, tem a forma fusiforme. São usadas ainda frescas para fazer molho, juntamente com limão, azeite de oliva e cebola; ou, pode fazer parte de outras receitas, como caldo de peixada, de feijoada, de cozidos etc.

Apesar da palavra "fresca" remeter à "refrescante", as pimentas frescas fazem arder, arder sem controle, e é isso que provoca uma sensação lúdica diante das pimentas.

Nós gostamos de comidas temperadas, coloridas; comidas que dialoguem com o nosso cenário tropical. Que tenham formas e cores integradas aos nossos melhores cenários litorâneos e das florestas.

O ser humano busca uma comida que mexa com suas emoções, de cores provocativas para aguçar o paladar, por isso é comum dizer que comida branca é comida sem gosto.

Botar cor na comida é entendido como acentuar o seu tempero, condimentar; e aí a pimenta tem seu destaque e valor notável, pois ela tem cor para apreciar e se lambuzar.

A malagueta é uma pimenta de um profundo vermelho, que traz uma referência estética que a identifica. Contudo, a botânica localiza como "malagueta" outro tipo de pimenta, historicamente conhecida como pimenta grão-do-paraíso, ou pimenta-da-guiné (*Aframomum melegueta*), uma zinginberácea da espécie malagueta. Ela faz parte da família do cardamomo e é nativa da costa ocidental africana, em especial do Golfo da Guiné, daí essa região ser chamada de Costa dos Grãos, pois os produtos eram nominados de acordo com os territórios dos quais procediam – isso durante o período das Grandes Navegações e do comércio da Companhia das Índias.

A pimenta grão-do-paraíso é consumida seca, como a pimenta-do-reino. Hoje, no Brasil, o grão-do-paraíso integra os condimentos rituais e culinários das religiões de matriz africana, em especial no candomblé, e recebe o nome de "ataré", ou popularmente "pimenta-da-costa".

O grão-do-paraíso, assim como outras especiarias vindas do Oriente, causou grandes mudanças na cozinha ocidental e da Europa durante a Idade Média. Assim, esses temperos exóticos formaram novos paladares, novos cardápios e novos entendimentos alimentares.

As especiarias acrescentam novos sabores às receitas, oferecem aromas e cores, valorizam, referenciam uma nova forma de compreender o que é a comida. E esse patrimônio gustativo espalhou-se nas rotas e nos processos de colonização lusitana pelas Américas.

Ainda na Europa, a malagueta, grão-do-paraíso, compõe fórmulas para temperar vinhos. Refiro-me ao vinho hippocras. Consolidado na Grécia no século V a.C., era temperado com açúcar e especiarias, como o cardamomo. Essas receitas de vinhos temperados nasceram a partir do vinho tinto e ainda hoje são preparadas na França e na Alemanha: são bebidas de celebração, bebidas para o Ano-Novo.

O sentido de temperar é dar uma assinatura marcante na preparação culinária, pois cada receita tem uma característica peculiar, como também um estilo e a própria identidade do cozinheiro.

Apesar de tudo isso, assumimos a malagueta como uma pimenta fresca, e dessa apropriação surgem muitos imaginários sobre o papel da pimenta no entendimento do brasileiro.

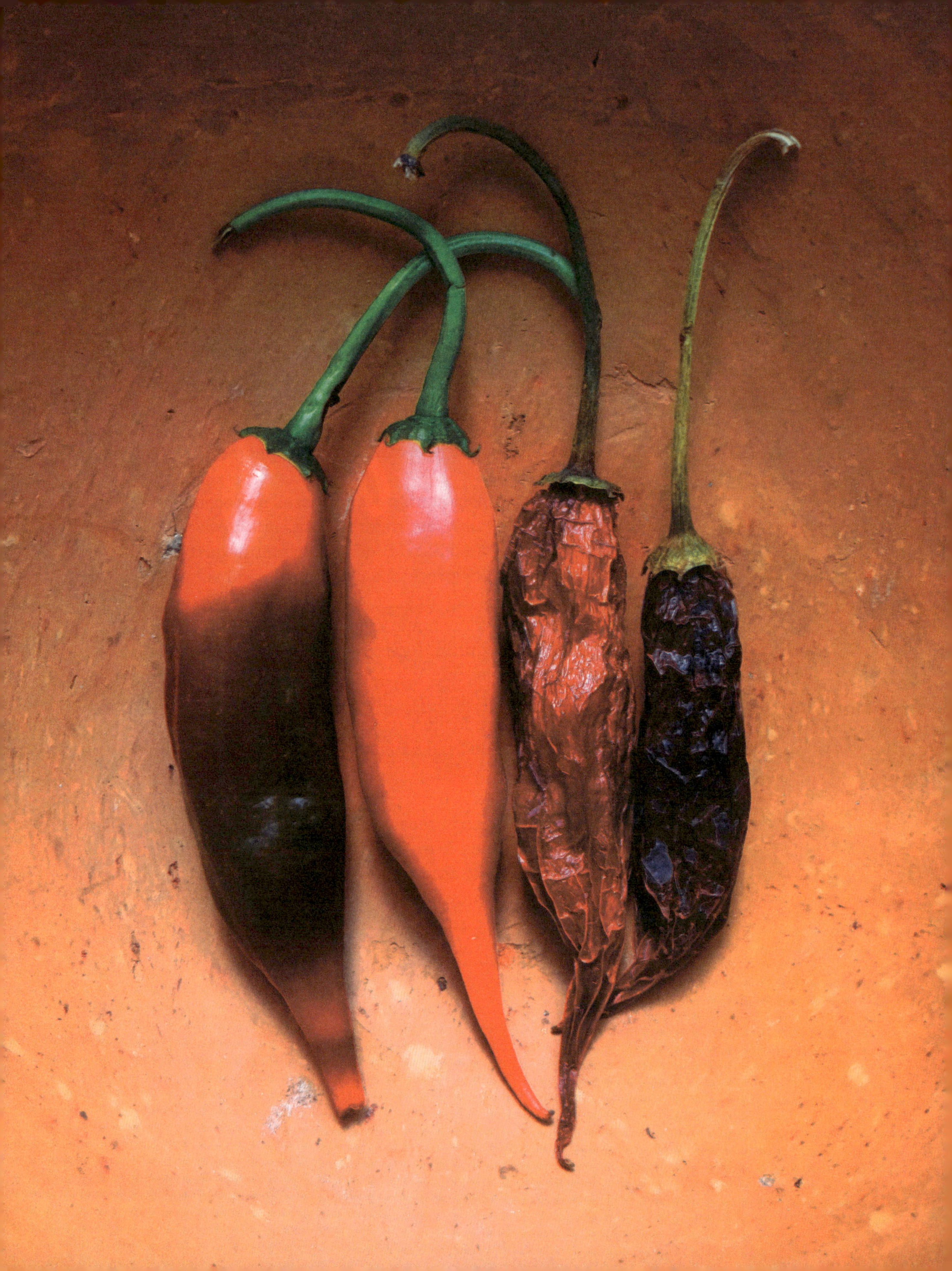

11. Pimenta: a sensação do fogo

Sem dúvida, a referência de fogo à boca se dá com as pimentas frescas, tenras, aromáticas e picantes do gênero *Capsicum*, pimentas americanas, nativas e de longa tradição culinária entre os povos da floresta, no caso do Brasil.

A grande transformação culinária no mundo ocidental se deu com a pimenta, em especial com as espécies da África e do Oriente.

Certamente as Grandes Navegações promoveram e aproximaram povos e civilizações por meio do comércio, principalmente o comércio de especiarias. O grande valor comercial das especiarias comparava-se ao valor do ouro, pois elas serviam para conservar os alimentos, e aumentar a sua durabilidade.

Esse grande comércio do Oriente com o Ocidente é muito antigo. As rotas comerciais do Renascimento se apropriaram das rotas comerciais de grandes impérios dominadores, como por exemplo o Império Romano. E, assim, a pimenta-do-reino, o gengibre, a cássia, o cardamomo da índia; a malagueta (ou grão-do-paraíso) entre tantas outras especiarias chegaram para transformar os hábitos alimentares, a estética das mesas e também o comportamento diante da comida.

Dessa forma, a pimenta chegou e assumiu seus múltiplos papéis culinários, em especial simbólicos, pois os símbolos unem-se aos sabores.

As relações com essas iguarias são visuais, estéticas, olfativas e gustativas. Cada pimenta é identificada por sua particularidade, cor, formato e textura. As frescas têm um sentido funcional mais próximo à sensação do ardor (ter o sol no corpo), que é a mesma sensação produzida pelo fogo, fogueiras e demais representações culturais.

A cor vermelha é uma das suas mais importantes referências, e também a relaciona ao fogo. Por exemplo, o jade vermelho chang para os chineses integra-se aos

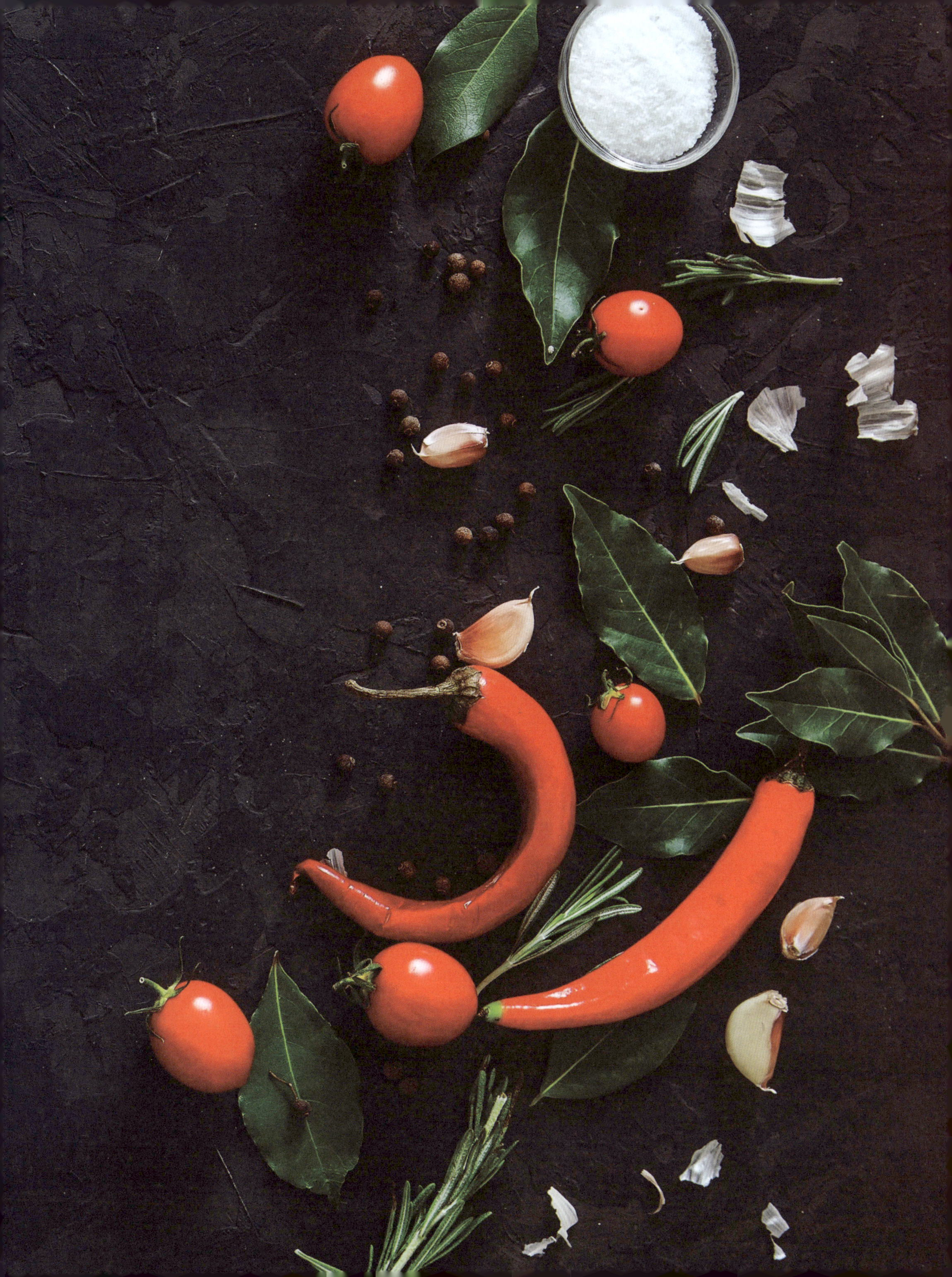

ritos solares e representa o fogo. E, sem dúvida, o fogo é uma projeção do sol – e o sol representa vida.

O fogo é um elemento construtor e renovador, ao mesmo tempo transforma e recria. Muitas formas e soluções estéticas buscam compreender e representar o fogo a partir do sol. O fogo também está associado à fertilidade e à sexualidade. O sentido do fogo inclui a compreensão do erótico, do desejo sexual e do papel masculino na procriação.

No nosso imaginário, a expressão "ter fogo" é o mesmo que ter desejo sexual, atração física. Essa expressão ainda faz referência ao uso excessivo de bebidas alcoólicas, "estar de fogo". Para Bachelard: "O fogo é um elemento que atua no centro de toda coisa". Além do sol, que é uma das representações mais dominantes sobre o entendimento do fogo, há também o raio, uma expressão do fogo. E ainda o fogo é associado ao verão, ao calor.

Um símbolo divino, o fogo está presente em diferentes representações religiosas, pois nele domina um sentido sagrado: fogo purificador; fogo regenerador; fogo transformador. Por meio do fogo os deuses, mitos, heróis e santos manifestam-se numa mediação do poder divino. E há os festejos com fogueiras que celebram diferentes rituais, aproximando o homem do fogo, uma representação solar.

Isso se amplia quando se trata dos alimentos, que têm a "virtualidade" de serem "quentes", solares, como por exemplo, o milho e as pimentas, nativos das Américas.

Num mito da América do Sul, o herói, para obter o fogo, persegue uma mulher: "Saltou sobre ela e a pegou. Disse-lhe que a faria prisioneira se ela não lhe revelasse o segredo do fogo. Após várias tentativas para escapar, ela consente. Senta-se no chão, com as duas pernas bem abertas. Agarrando a parte superior do seu ventre, deu-lhe uma forte sacudida e uma bola de fogo rolou no chão, saindo do conduto genital. Não era o fogo que conhecemos hoje, não queimava, nem fazia ferver as coisas. Essas propriedades se perderam quando a mulher o deu. Ajijeko disse, no entanto, que podia remediar a situação; recolheu todas as cascas, todos os frutos e toda a pimenta vermelha que ardem e, juntando-os com o fogo da mulher, fez o fogo que utilizamos hoje".

(Bachelard, 1994, pp. 56-57.)

Outra interpretação do fogo, seu domínio e transmissão está na mitologia iorubá do orixá Xangô e as suas três mulheres: Oyá, Oxum e Obá. Xangô marca o mando masculino, o poder do macho, por isso conhece o fogo e tem a capacidade de projetá-lo pela boca. Um alto poder que reafirma seu papel de mando, de Alafin, soberano de Oió, de homem sexualmente especial, e dessa maneira, tudo o que é "quente" é do seu domínio, que é divino e humano.

Conta um itan que Obá, mulher mais velha de Xangô, querendo uma atenção sexual especial do marido, busca, através de rituais, saber sobre o fogo e sobre os desejos masculinos. Oxum, a mais jovem e bonita das mulheres de Xangô, sabendo desse desejo de Obá, sugere uma comida especial, o prato predileto de Xangô, o amalá – massa de inhame, dendê e muita pimenta. Porém, disse que Obá deveria colocar uma de suas orelhas no amalá, para que Xangô, ao comê-la, reacendesse seu fogo sexual por ela. Assim Obá o fez, ofereceu a própria orelha ao marido. Entretanto, a jovem Oxum avisou Xangô sobre esse amalá e o orixá se aproximou dela, inclusive sexualmente.

12. Pimenta é magia

A escolha dos materiais, formas e símbolos que possam localizar ações mágicas e maneiras de referenciar o sagrado nas tradições de um povo, de uma civilização, faz parte das manifestações pessoais e coletivas que representam o cotidiano e as festas.

Ainda, os rituais integrados ao cotidiano são rituais de magia que estabelecem compromissos – por meio de materiais que causem a sensação de conforto e proteção. Há magia para o corpo, para o trabalho, para as relações afetivas, para a sexualidade, para integrar os muitos papéis sociais de homens e mulheres...

Nesse amplo leque de muitos materiais naturais, objetos, formas e cores as pimentas têm um papel de destaque: a pimenta vermelha, alongada, fálica, pimenta fresca, a *Capsicum*, pimenta americana. As características visuais remetem à ancestralidade, repleta de simbologia referente à fertilidade, e, por consequência, referente à vida.

A sensação de quentura provocada pela pimenta aciona valores de energia relacionados ao sol, ao fogo – símbolos marcantes para as civilizações do Ocidente e do Oriente.

Há uma ampla e diversa representação do fálico nas civilizações com o intuito de fortalecer o sentido de "poder masculino". Tais objetos buscam uma exposição do *falus* ereto, assim obeliscos, mastros e bastões entre tantas maneiras de representar algo vertical servem para identificar o masculino, a manifestação do poder, do poder real e mágico.

Os ambientes, as casas, os mercados, as feiras, as oficinas, entre muitos outros lugares, utilizam a simbologia das pimentas – seja por meio do próprio fruto, ou por objetos feitos em diferentes materiais. Elas protegem as pessoas e os ambientes. Nos ambientes as pimentas são colocados junto às portas de entrada, e também estão em destaque nas cozinhas. Assim, a pimenta cumpre a sua função sagrada, relacionando-se com o ser humano e os seus santos, mitos e deuses.

O seu poder protetor abrange as relações sociais e as atividades profissionais, além de ampliar e preservar a fertilidade dos seres humanos e dos solos (por meio das cerimônias agrícolas imemoriais, dos sacrifícios dos primeiros frutos, cerimônias

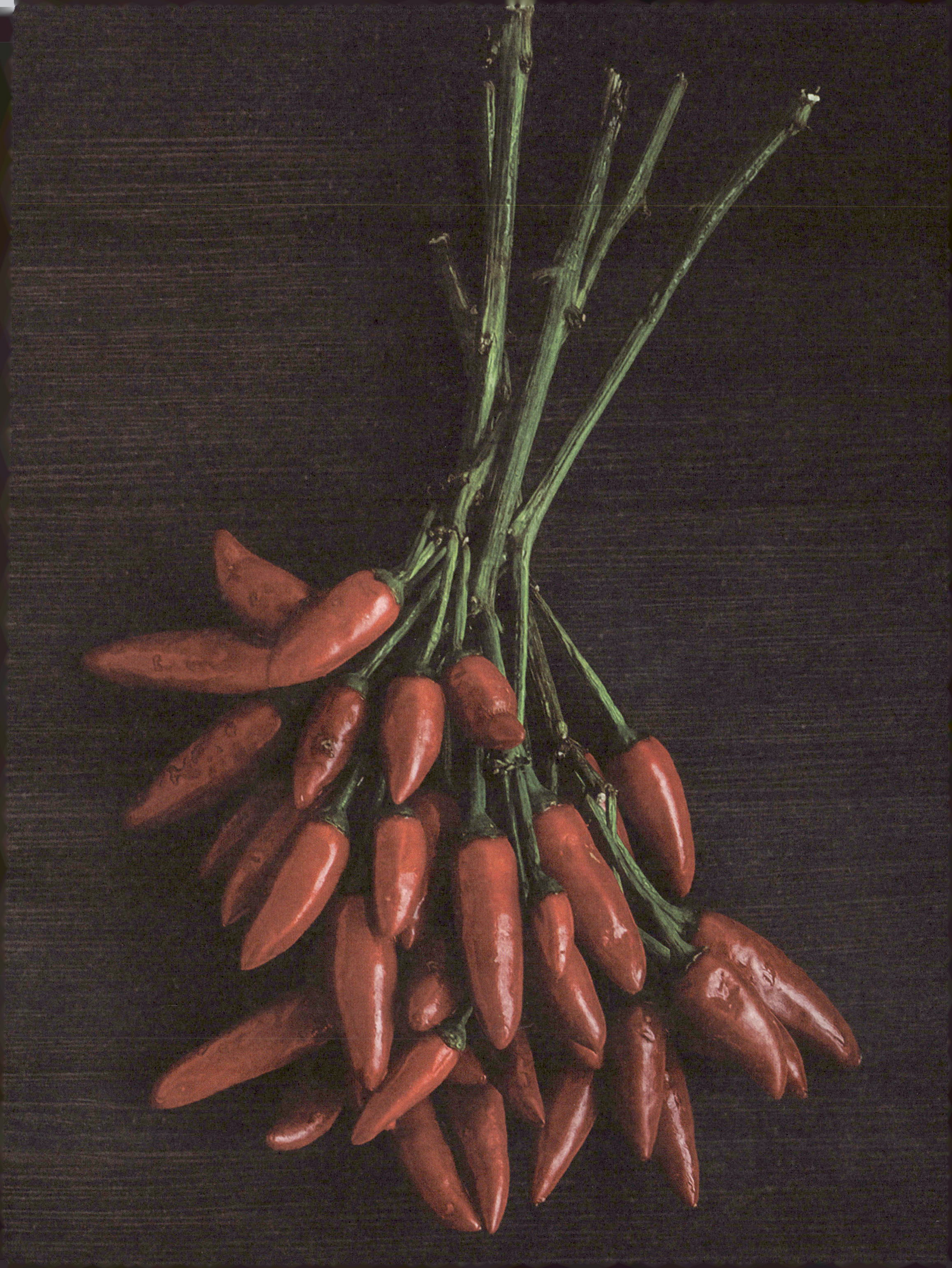

de renascimento durante a primavera e também de colheita, porque o alimento marca um elo fundamental entre o homem, a natureza e os deuses).

O amplo sentido da pimenta marca também a estética. As vermelhas, as amarelas, as verdes – estão todas associadas ao imaginário do sangue, do fogo, da natureza; um conjunto de símbolos de vida e de energia masculina.

É comum vê-las em vasos, as famosas pimenteiras nas entradas das residências e jardins, compondo o ambiente informal, das lojas e nas mesas dos restaurantes. Elas marcam um sentido estético e mágico: é um fruto de proteção, de calor mágico que se dá por sua picância, pelo "fogo" que alimenta o imaginário.

Ter uma pimenteira é um hábito já integrado entre nós, como é o caso também da "figa" para uso corporal, em pingentes, por exemplo, ou nos ambientes. Figas e pimentas são usadas como joias (feitas de prata, ouro, coral) e pertencem ao imaginário ancestral da estética corporal, registrado em esculturas, pinturas, entre outros. Muito notáveis são as joias esculpidas em forma de pimenta usadas na região do Mediterrâneo.

Muitos arranjos são verdadeiras instalações de pimentas, e enfeitam as cozinhas e outros ambientes internos das casas, servindo de proteção ao mesmo tempo em que são usadas para o consumo culinário.

Por fim, é marcante o desejo de proteção nas diferentes tradições religiosas, assim cada uma mostra como realiza a sua proteção e a sua relação com o sagrado.

L'ammore
va truv...
ricche

13. A estética da pimenta

A relação do homem com a pimenta é delicada e respeitosa; muitos afirmam: "Basta olhar para arder!".

Inicialmente, a estética da pimenta revela um imaginário do poder masculino, do fogo e, principalmente, da cor vermelha – apesar dos variados matizes, que vão do mais intenso ao mais suave vermelho (alaranjado, amarelo), verde e também preto.

Como já comentado anteriormente, muitas vezes essas especiarias são verdadeiras instalações, podendo acomodar-se dentro de vidros ou garrafas, estar presas em barbantes... oferecem um convite à beleza e ao paladar.

Quando em conserva, temperam molhos ou simplesmente são apreciadas assim, no vidro, compondo o universo visual das cozinhas caseiras, bares e restaurantes. Tradicionais nos mercados, como também o são as frescas e as secas, organizadas em fiadas, potes ou sacos, são vendidas em quantidade ou ainda espalhadas em tabuleiros de madeira junto com copos de medida – para o freguês escolher a granel.

Essas vitrines estéticas seduzem o passante, e as pimentas são separadas por tipo, cor, ou em um mix de tipos com a indicação no rótulo de uma receita de molho.

Quando ordenadas em "fiadas", cada pimenta é colocada como se fosse uma joia, e são usadas assim para ornamentação. Essas fiadas pertencem a uma estética muito tradicional, de diferentes representações míticas. Colocá-las nas portas ou em joias de adorno corporal como símbolo de proteção é um hábito ancestral, presente no imaginário coletivo.

Civilizações do Mediterrâneo, muitos povos da África e povos nativos das Américas têm a pimenta como um marco social, econômico, religioso e culinário; além de um elemento estético integrado à memória ancestral.

Como vimos, as pimentas estão presentes nas relações sociais, até marcaram poder econômico, pois algumas funcionavam como moedas de troca. Elas também criaram novos hábitos alimentares à mesa e estilos de saborear, que nasciam com as novas opções de temperos do "ciclo das especiarias".

Esse ciclo foi marcado pelas pimentas nas suas variedades e tipos, o que criou

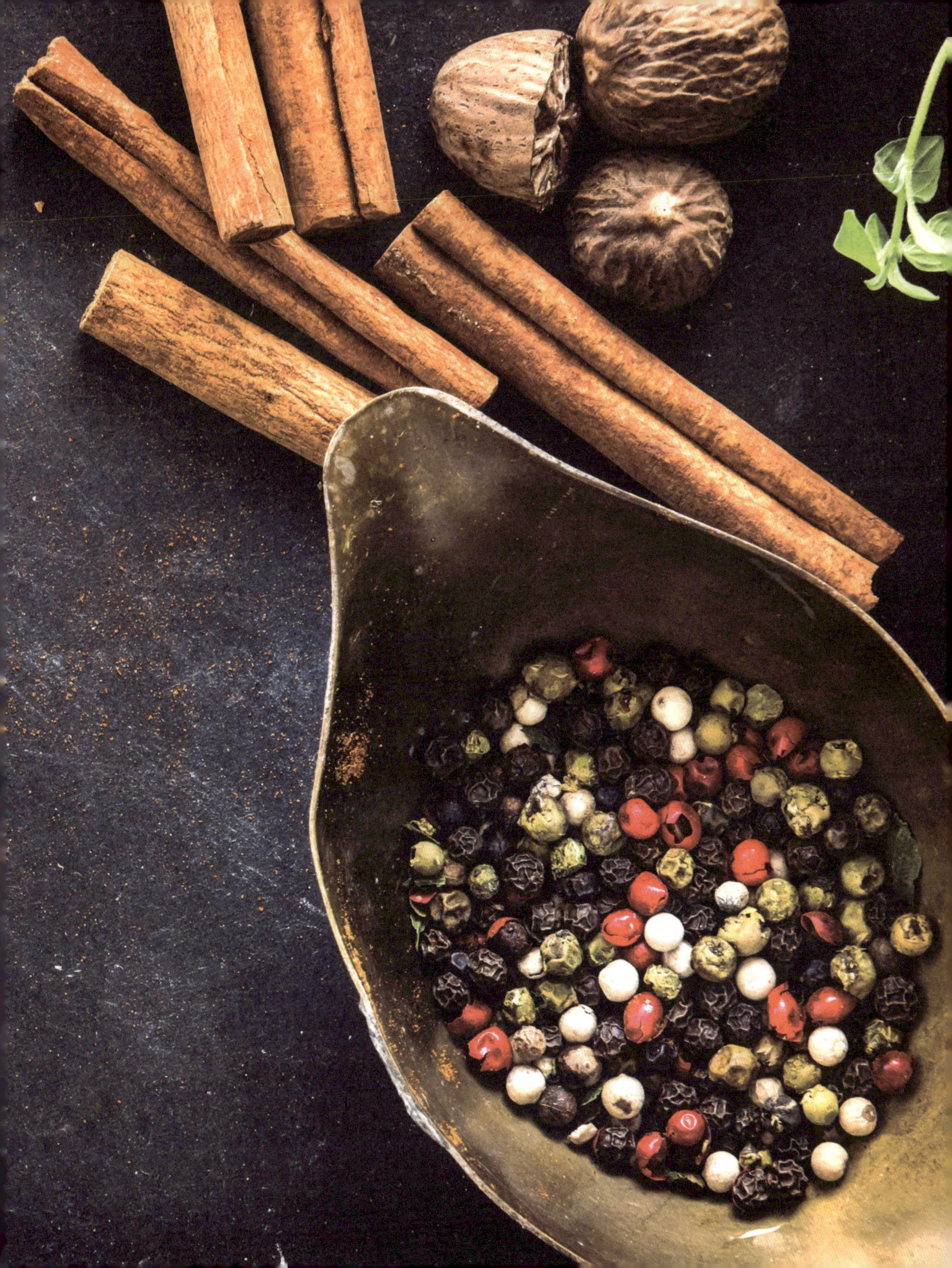

usos culinários que aproximaram o Oriente do Ocidente. Por exemplo, a pimenta-do-reino marcou a época das Grandes Navegações (séculos XV-XVI), pois era usada como um excelente conservante para os alimentos durante as longas viagens além-mar, possibilitando que rotas mais longas fossem feitas em mares nunca antes navegados.

Assim, surgia e se ampliava um sentimento plural sobre as pimentas e o ato de comer. Pratos condimentados, temperados, com muitas e novas opções à mesa.

Sem dúvida, as bonitas cores das pimentas contribuíram para a construção de imaginários estéticos e culinários, como na fazedura das receitas e na organização visual dos pratos. Porém, apesar de sua coloração chamativa (ex.: arbol, caiena, jalapeño, pimenta vermelha Novo México, pimenta de mesa, peito-de-moça, piquim, serrano, aji-amarelo, dedo-de-moça, cabacinha, cumari-do-Pará, biquinho, pimenta-de-cheiro, malagueta e muitas outras conhecidas por nomes populares e tradicionais, de acordo com a região), há um destaque para as pimentas secas, escuras, monocromáticas, que não exibem o mesmo apelo tropical das pimentas frescas e coloridas, mas foram muito importantes nas receitas para a acentuação dos temperos, marcando a "civilização das especiarias".

Esteticamente, as pimentas ganham cada vez mais realce na formulação de pratos para valorizá-los – com suas cores e desenhos. Também nas toalhas, louças, vidros, metais etc.; como textos visuais de cenários para vivenciar o ritual do alimentar-se à mesa: tanto no paladar quanto na emoção que faz arder.

As pimentas envidraçadas nos potes são verdadeiras esculturas. Organizadas por cores, tipos e desenhos, formam unidades cromáticas que resultam em peças de decoração do ambiente. Os vidros expõem cores quentes, anunciando também os sabores "quentes" dos preparos. São representações da ardência e da picância, inicialmente identificando os muitos significados dessas frutas que ardem e atendem preferências de colorido e sensações à boca. Sim, porque os sabores também têm um sentido cromático e simbólico; trata-se de um necessário valor presente no paladar, que reforça o pertencimento a uma tradição, a uma cultura.

Sem dúvida, há uma busca cromática dominante no imaginário dos trópicos, referências de cores como o vermelho, o verde, o amarelo, o laranja. Elas também trazem referências de uma luminosidade especial, porque tudo está integrado num ideal de natureza.

As chamadas "cores quentes" traduzem territórios de florestas tropicais, de litorais, e o Brasil resgata um imaginário coletivo de "paraíso tropical". As cores quentes transitam nas comidas, nos temperos, nas escolhas estéticas dos objetos, das roupas, da maquiagem... Enfim, há uma ampla e diversa expressão estética dentro de cada região.

O brasileiro identifica-se com essas cores vindas da natureza das especiarias, e, assim interpretadas, são incluídas nas representações do cotidiano e ampliadas em tempos de festa.

As pimentas nativas, que são muitas, têm seu uso funcional em molhos, mas interpretadas como alimento: comem-se as pimentas e sua expressão de tropicalidade.

O brasileiro busca e assume uma cozinha bem temperada – são diversas e complexas nossas bases étnicas e históricas da formação da cozinha do nosso povo; digam-se, cozinhas. Cozinhas que revelam a multiculturalidade, fruto do encontro entre Ocidente e Oriente. Por isso, nossos sabores são universais, abrangem muitos temperos, especiarias, processos e técnicas artesanais de preparar os ingredientes.

Interpretar os ingredientes vai além da mesa. O condimento é tema amplo e diverso no imaginário dos povos. No caso brasileiro, as pimentas estão presentes nas diferentes regiões e todas têm um valor marcante de apreciação, análise das cores, tipos, qualidades e características.

As pimentas trazem formas efêmeras de arte interativa, experienciadas à mesa. Há um desejo marcante de sentir o ardor, de apreciá-las – são maneiras contemporâneas de comer arte.

14. Macho que é macho come pimenta!

Já vimos que muitas e variadas pimentas estão integradas aos nossos hábitos alimentares, consumidas in natura ou em molhos.

Além de marcar e acentuar os sabores à boca, consumir pimentas também é uma ação lúdica, até mesmo performática, resultando em verdadeiras exibições de afirmação de gênero e papel social. Para muitas pessoas comer pimenta também revela coragem, pois é uma atitude "para macho". Como costuma-se dizer: "É coisa de homem".

Sem dúvida, é muito comum e tradicional um olhar machista em ambientes populares como feiras e mercados, onde há os momentos para exibição e afirmação masculina. Assim, padrões do papel do macho são reafirmados no imaginário social, apontando para alguns comportamentos socialmente definidos conforme a cultura e a sua civilização. As questões de gênero traduzem símbolos e identidades de uma sociedade, determinam os papéis do homem e da mulher na sociedade. No caso brasileiro, esse padrão está baseado na nossa histórica sociedade patriarcal, machista por vocação.

Ainda analisando por esse ângulo, tais comportamentos estereotipados e arcaicos ainda são vigentes e apontam outros valores para o amplo conceito de macho, afinal macho também é aquele que come coisas cruas e azedas.

Desse modo, a pimenta está integrada ao imaginário ancestral e é a própria trajetória de uma civilização onde o homem caçador, provedor, consome sangue e vísceras – entre tantas outras coisas relacionadas às comidas fortes –, preservando o lugar do macho como dominante sobre a fêmea. Nesse contexto, as pimentas também são representadas nos mitos dos deuses.

Com certeza muitas mulheres gostam e consomem muita pimenta, mas no nosso imaginário machista a pimenta "é coisa de homem".

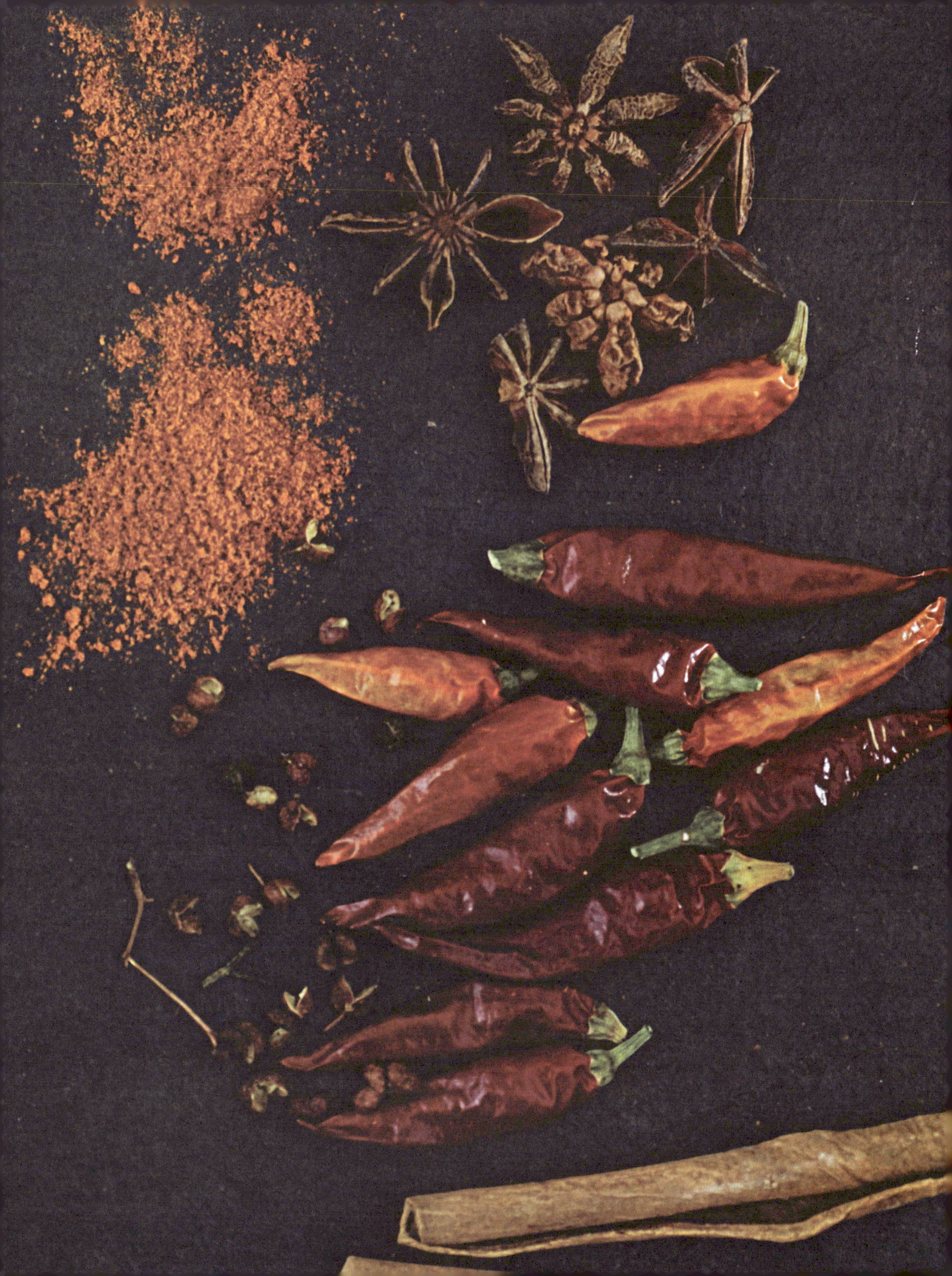

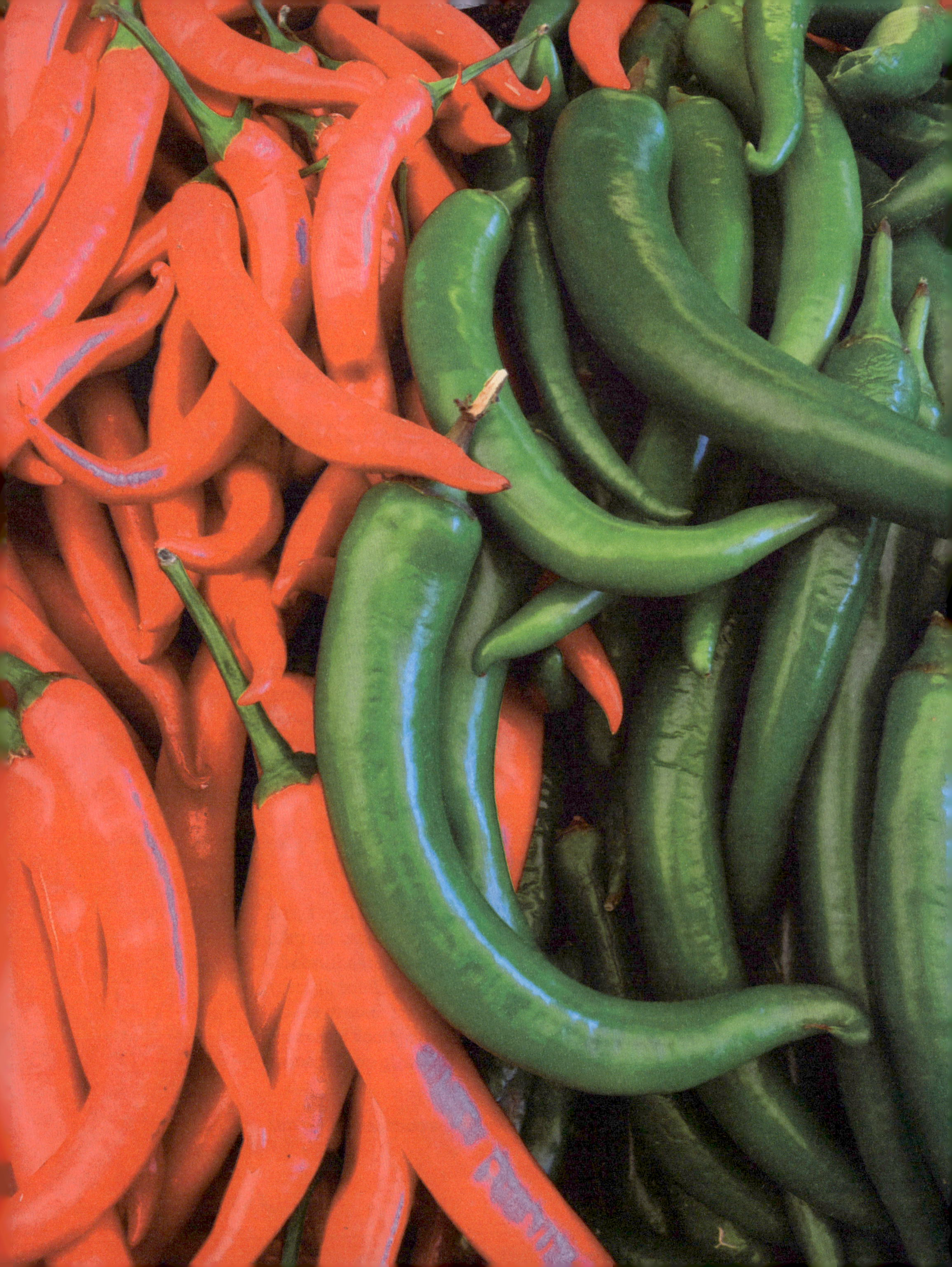

Porém, nas muitas opções gastronômicas contemporâneas as pimentas ganharam novos significados (não apenas o de arder na boca do macho), e hoje são fundamentais em diferentes receitas e processos culinários para se obter um sabor especial.

Optar por usá-las é algo cultural, e elas passam a integrar padrões de comportamento que formarão diferentes paladares. Pode-se dizer por exemplo que o povo brasileiro é um apreciador de pimentas, que seu consumo se dá notadamente nas receitas tradicionais (cozinhas regionais, de referência, que fazem parte da construção da alteridade de uma região), marcadas à boca, num verdadeiro emblema do comer brasileiro.

Comer ou não pimenta é uma construção cultural, que determina identidade, costume, culinária e celebrações. A intensidade do ardor, da funcionalidade para a fisiologia do corpo e a peculiar apreciação da pimenta passam a integrar o sentimento coletivo – a picância vai além do paladar e se torna simbólica.

Por fim, certas comidas só estarão perfeitas se consumidas com pimenta, de forma ritualística, distinguindo assim os inúmeros rituais sociais do ato de comer.

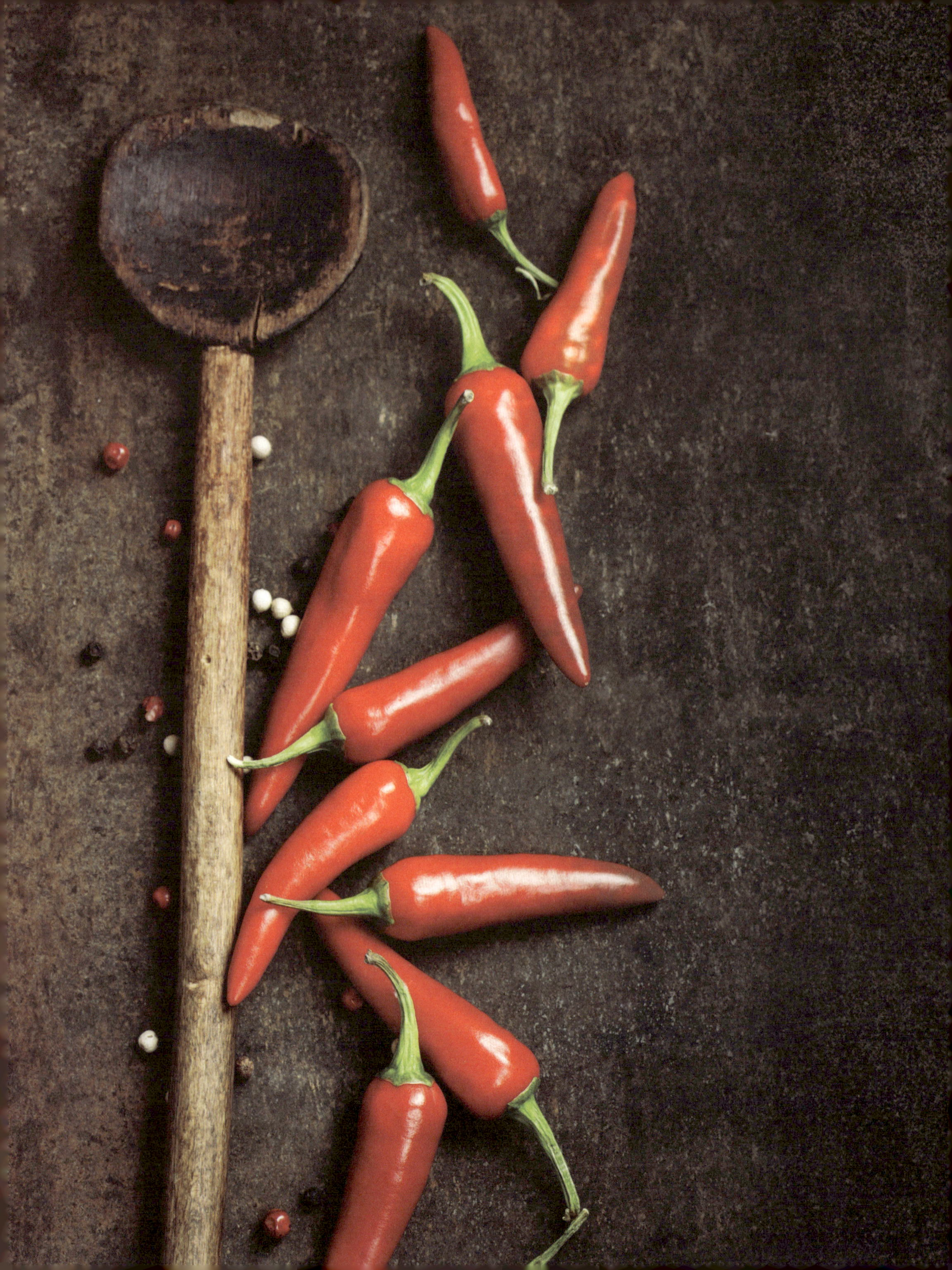

15. As mulheres-pimenta de Tejucupapo

A mandioca ocupa uma posição de destaque. Seus derivados são uma importante base alimentar do Brasil, em especial no Nordeste. No contexto colonial, a farinha de mandioca – junto à produção de melado, ou mel de engenho, rapadura, açúcar, frutas nativas, pesca e caça – possibilita a vida, pois prepara alimentos em cenários de fome.

Há uma excessiva glamorização sobre a presença dos batavos no Nordeste brasileiro durante esse época. Isso promove uma verdadeira fantasia sobre as intenções holandesas de civilização, pois o real interesse era comercial: exportar açúcar pela Companhia da Índias Ocidentais marcava, sem dúvida, o sentido principal da ocupação batava na região.

Ainda outros interesses comerciais se integravam às ações da Companhia das Índias Ocidentais, assim os documentalistas puderam registrar a natureza no trópico, para ampliar os mercados de produtos exóticos, na época em moda na Europa.

Em Pernambuco, ainda sob domínio holandês, houve um marcante episódio para a libertação das terras açucareiras: a Revolta de Tejucupapo.

Em meados do século XVII, os holandeses já haviam praticamente perdido o domínio sobre o território pernambucano. Então, esgotados e famintos, em 24 de abril de 1646 esses batavos invadiram o humilde vilarejo de Tejucupapo em busca de provisões e alimentos. Intencionavam ocupar as plantações de mandioca – pois sua farinha, produzida nas casas de farinha, em conjunto com o açúcar dos engenhos, fazia parte da base alimentar dos trabalhadores, do africano em condição escrava, dos colonos portugueses e do próprio invasor batavo.

Os intérpretes da história holandesa

em Pernambuco contam que os invasores organizaram a investida em Tejucopapo num dia de domingo, visto que os homens do vilarejo viajavam para Recife todo domingo para vender peixes, moluscos e outros produtos, deixando suas esposas sozinhas em Tejucopapo. Porém, ninguém esperava uma ação feminina de defesa: as mulheres, utilizando seus recursos culinários, ferveram água com pimenta e jogaram nos batavos!

Essas bravas mulheres usaram pimentas nativas, certamente a *Capsicum* (na época conhecida como pimenta-pernambuco), como meio de defesa do território e dos suprimentos alimentares da população local. Há um sentido de "agressividade" embutido na pimenta, pois simbolicamente ela representa o fogo, o arder, e foi esse o recurso possível para essas ameaçadas mulheres.

A tradição afirma que quatro mulheres lideraram a reação contra os batavos: Maria Camarão, Maria Quitéria, Maria Clara e Joaquina. A ação delas foi em defesa do vilarejo de Tejucopapo, das suas vidas, filhos e provisões – à época, a comida era escassa.

Por meio de conhecimentos culinários, essas "guerreiras mulheres-pimenta" transformaram pimentas nativas, frescas e ardidas, muito comuns em suas receitas, num preparo fatal, de guerra.

Após ferver as pimentas em tachos e panelas de barro, escondidas em trincheiras atacaram os invasores holandeses com essa mistura, reação jamais esperada pelos soldados batavos. Os olhos dos inimigos eram os principais alvos, e pegá-los de surpresa foi a melhor estratégia. Vitoriosas, as mulheres comemoraram o bom uso da pimenta nativa, a melhor arma contra os invasores colonizadores.

Hoje, Tejucupapo é distrito de Goiana, localizado na Zona da Mata Norte pernambucana.

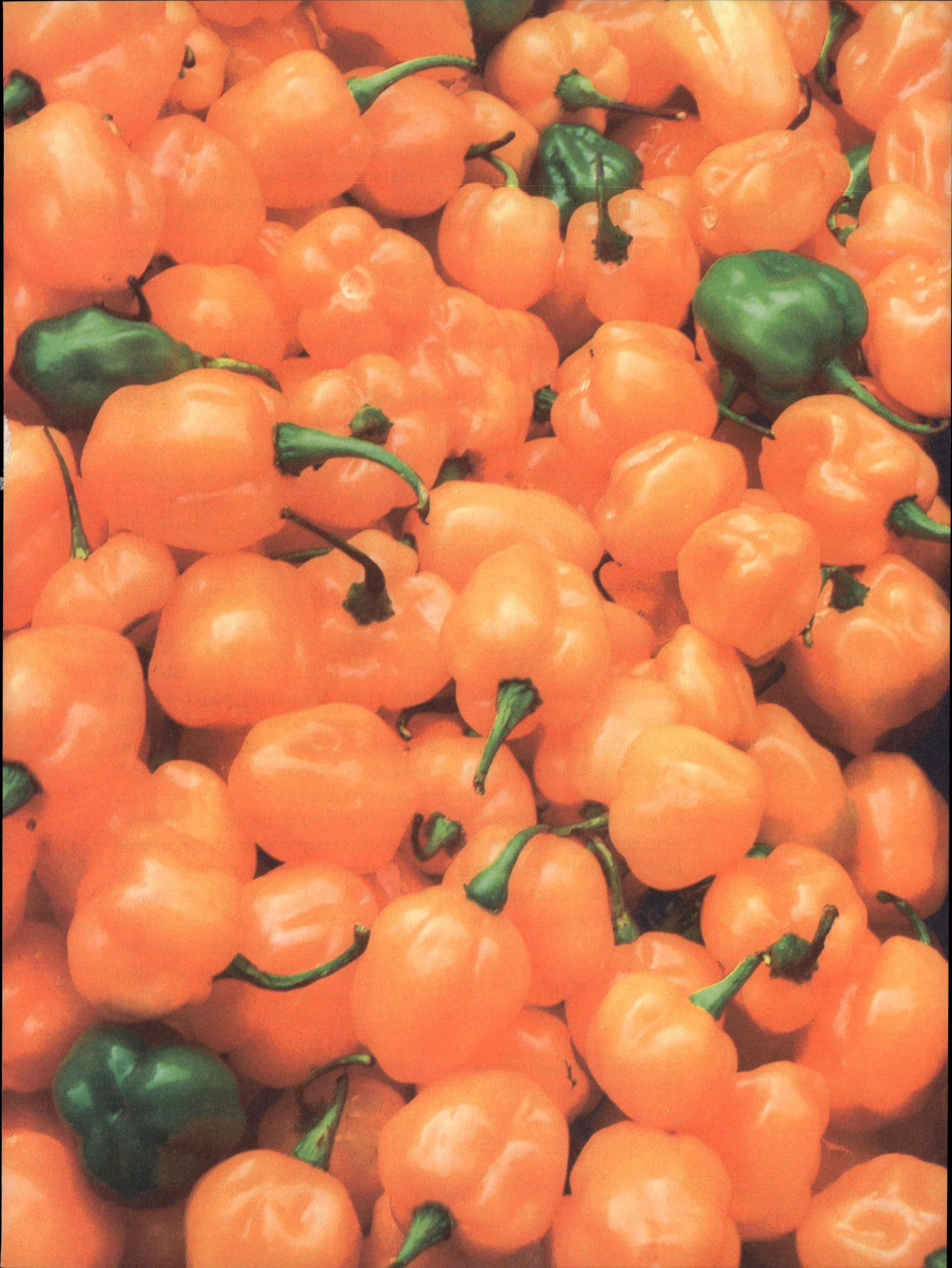

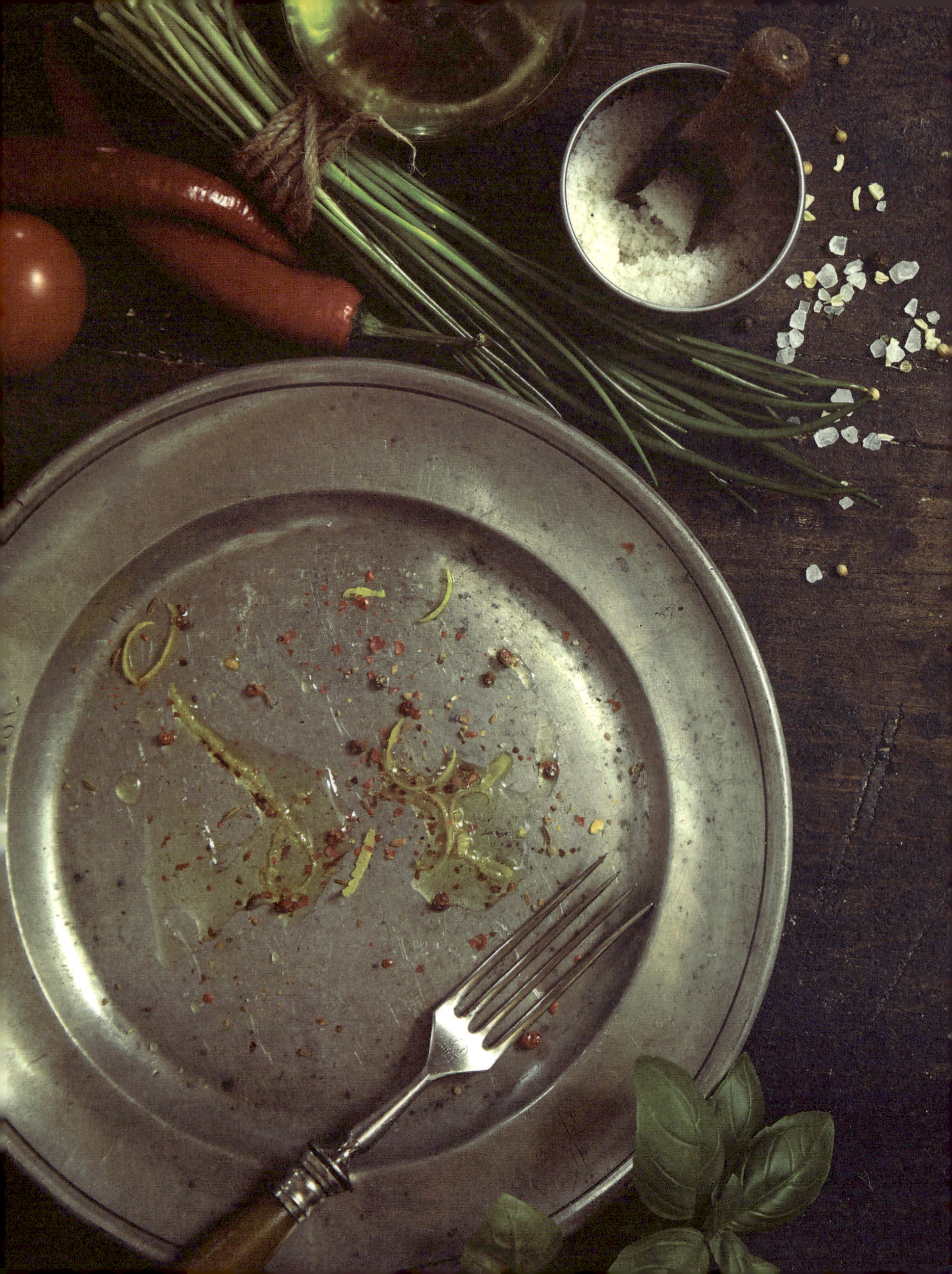

16. O comensal: o protagonista da mesa

As invenções à mesa fazem do comensal um coautor da refeição no momento em que ele cria algum complemento no próprio prato, pois a mesa é um lugar de encontros, de escolhas; e, certamente, de prazer.

Assim, acrescentar tempero "a gosto" é uma ação autoral de todos. É uma intervenção que reinventa os sabores, uma forma de agradar um paladar particular.

É comum salpicar pimenta-do-reino sobre carnes, colocar um fio de azeite de oliva sobre peixes e saladas ou salgar mais algo; tudo para pontuar a identidade do comensal à mesa. A canela e o açúcar têm a mesma função, complementam doces. Essas são apenas algumas das possibilidades das muitas intervenções autorais à mesa num momento familiar íntimo, ou num ritual de comensalidade público, atitudes que dão à comida o seu valor e significado cultural.

Este tipo de coautoria à mesa apresenta motivos lúdicos e culinários, pois há a busca de encontros com a identidade e o prazer; prazer este na visão, no paladar, entre outros.

Sem dúvida, há regras e enredos para iniciar uma refeição. Regras que obedecem sequências, orientando como a comida será consumida e melhor aproveitada, conforme os muitos símbolos presentes em uma sociedade.

Os toques autorais mostram desejos pessoais intervindo no sabor da comida, feitos de acordo com um sabor referência aprendido culturalmente e com as possibilidades que os ingredientes oferecem ao comensal.

Há uma espécie de ritual prescrito para temperar "à moda", como se diz. Um caso tradicional de coautoria à mesa presente em nossos hábitos alimentares é o feijão e suas muitas maneiras de preparo e apresentação.

O complemento básico do feijão servido à mesa é a farinha de mandioca (de muitas procedências, texturas, cores, odores e gostos, e temperada e preparada de diferentes formas). Seguindo estilos regionais e autorais, alguns gostam de cobrir o feijão, outros a colocam ao lado dele, outros, ainda, apenas salpicam a farinha de mandioca sobre o feijão. Outro complemento utilizado são as pimentas, sejam frescas, em conserva, na forma de molhos caseiros ou industrializados. Há pimentas misturadas nos caldos, nas farinhas, são finas, são grossas, com cor e sabor de tucupi, entre tantas outras possibilidades.

Os tradicionais cozidos, uns ainda nominados à portuguesa, em nossas mesas regionais são acrescidos de milho, banana-da-terra – para marcar a identidade brasileira que se mostra a partir do feito ibérico.

Outro caso para destacar é o caldo do cozido, uma bebida servida no momento chamado de "abrideira" da refeição, acompanhado de molho de pimenta ou de pimentas frescas amassadas na hora, à escolha do comensal.

Além do cozido, há também uma variada oferta de peixes servidos em receitas de moquecas ou peixadas, com seus magníficos pirões de farinha, o que possibilita o ato de "temperar à mesa".

O longo processo de um ritual de comensalidade possibilita experimentos e experiências com a comida de forma lúdica, e também um maior aproveitamento dos sabores. Assim, há um momento especial desse processo de criação à mesa. As maneiras próprias de condimentar buscam no paladar uma referência cultural.

Muitas vezes temperar significa ir além dos tradicionais azeite e vinagre. Uma ação marcante é apimentar o prato, dar picância, trazer a sensação de fogo à boca.

Buscar um gosto especial para o feijão, o cozido, o peixe e as comidas tradicionais de rua – do mercado, do tabuleiro do vendedor ambulante, ou dos modernos *food trucks* –, tem um significado importante.

Antes de tudo, o ato cultural de comer é simbólico e criativo, assim sempre haverá uma participação autoral à mesa.

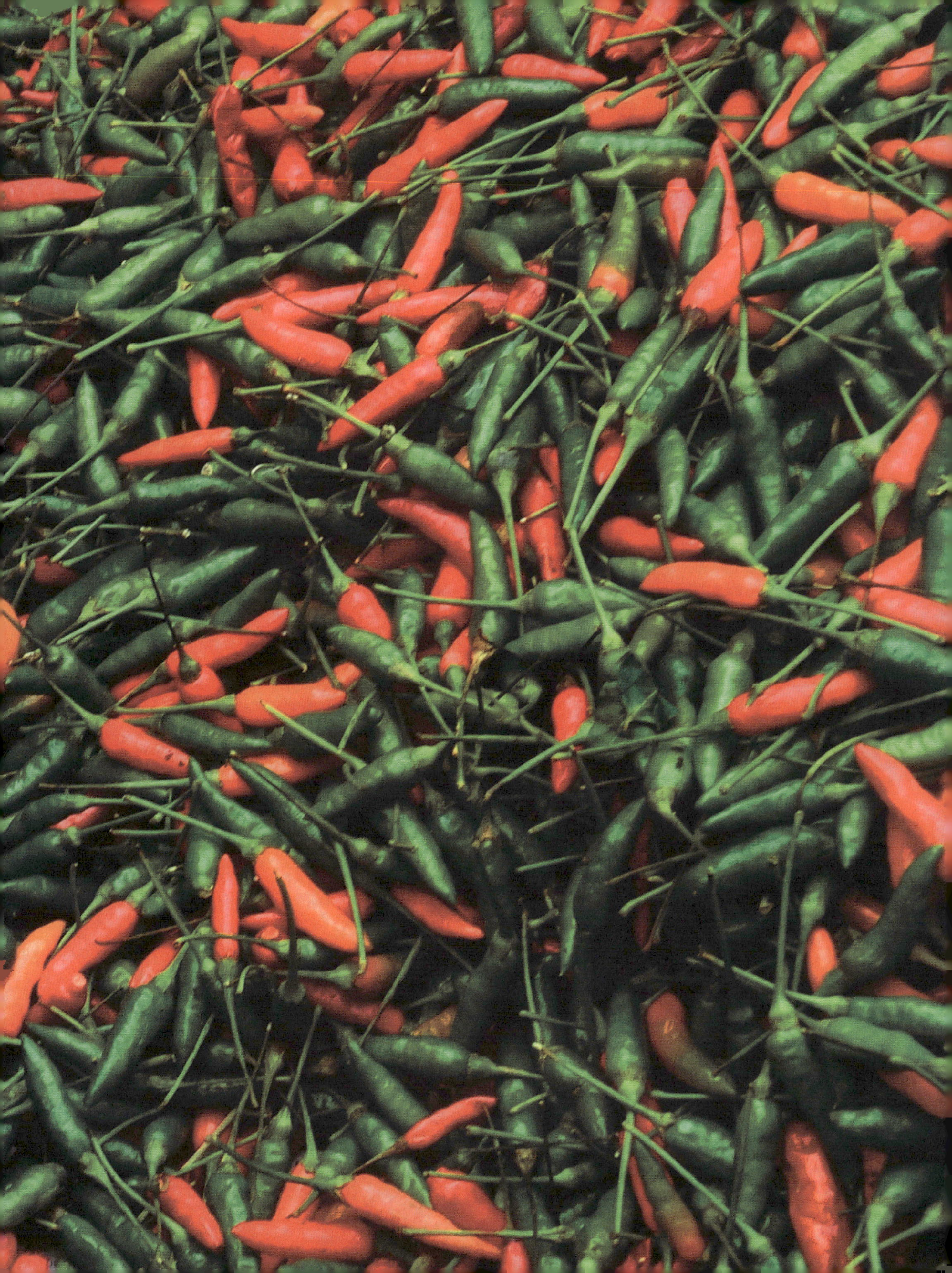

17. Molhos para se lambuzar

Molho é algo muito especial porque apura e destaca o sabor da comida. Ele umedece e acrescenta um odor cheiroso, além de cores e sabores especiais.

As texturas dos molhos dependem de um desejo pessoal de conquistar o molho ideal. Cada molho tem sua virtude, o seu papel à mesa, embora o conceito de molho na gastronomia seja o de apenas um "complemento".

Desde o ketchup sobre a salsicha do hot dog até uma "quenelle" (molho à base de azeitonas pretas, azeite de oliva e aliche) sobre uma porção de pato grelhado, o molho sempre dialoga com o que está sendo servido.

São muitas as interpretações e entendimentos sobre o que é um molho. Há, por exemplo, o molho de quiabos com azeite de dendê, pimentas e outros temperos — um verdadeiro guisado que é colocado sobre inhames bem cozidos, uma especialidade deliciosa da cozinha iorubá (refiro-me a uma das versões do amalá).

Os molhos artesanais são feitos com todo o cuidado que merece uma criação pessoal. Há também os preparados somente no momento do consumo e molhos industrializados, que seguem tendências de mercado e do modismo em voga.

Nessas buscas por um molho ideal, quase sempre há opções tradicionais para enriquecer as comidas, conforme o gosto particular de cada um. E, os molhos de pimenta aparecem como primeira opção. Pimentas frescas, do tipo *Capsicum*, coloridas e com diferentes intensidades de ardor ou picância são as preferidas.

MOLHO LAMBÃO

Muito popular, seu nome é uma sugestão para mergulhar de cabeça no prazer de experimentá-lo: refiro-me ao molho lambão.

Como o nome já indica, é para ser consumido em grande quantidade, para se lambuzar e besuntar melhor o que se come. Por ser fresco, feito na hora, é muito aromático. E é um molho tropical.

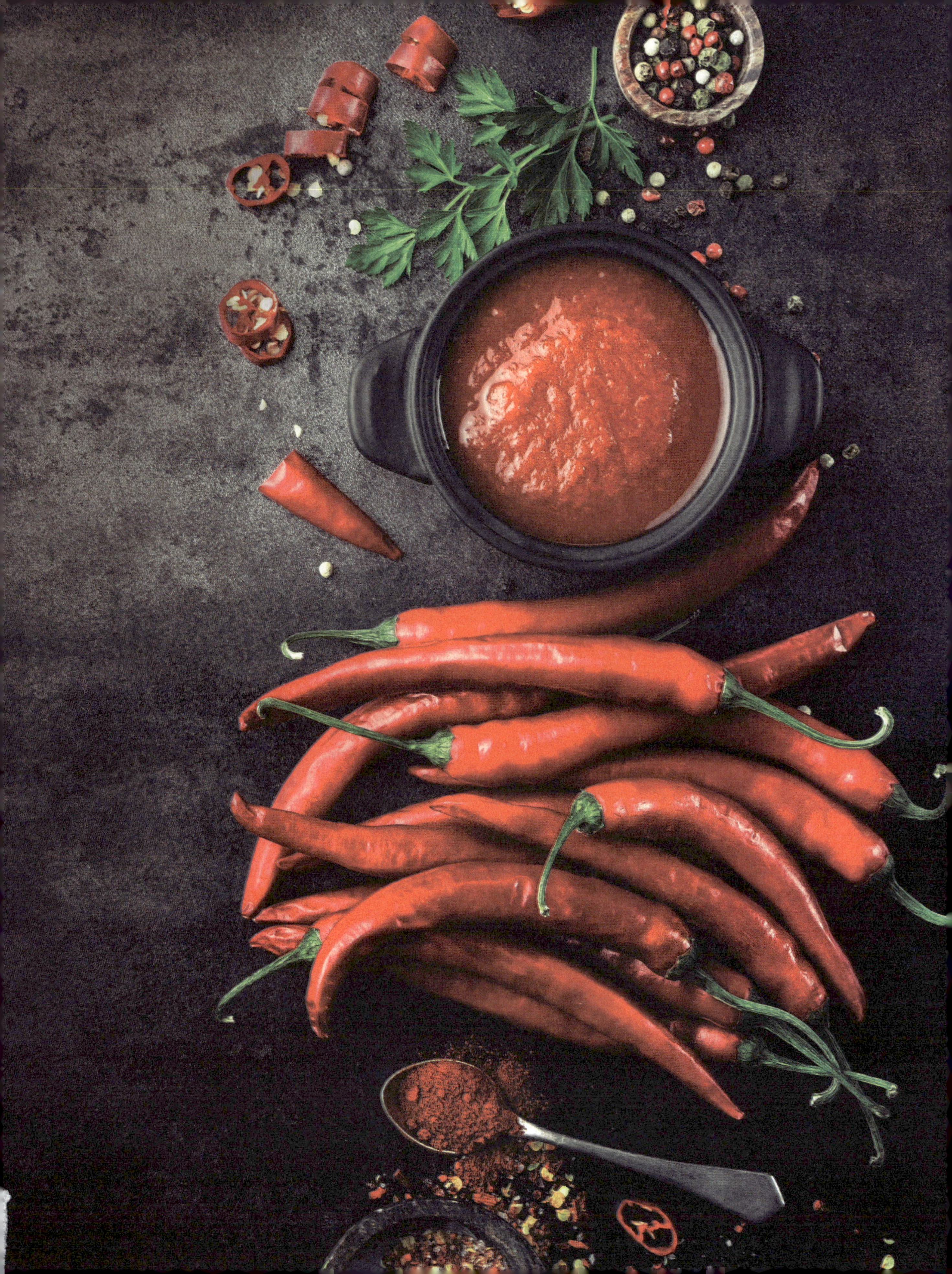

Como é comum nas receitas tradicionais, os utensílios são tão importantes como os próprios ingredientes. Assim, um verdadeiro molho lambão só será autêntico se preparado em louça de barro, de maneira artesanal e com os ingredientes pilados em pilão de madeira.

Fazer a comida e comê-la é um momento para se relacionar com a paisagem e com as particularidades culturais. Quando me refiro à louça de barro, estou me referindo à louça "nagé", um utensílio de barro cozido e de formato peculiar, produzido em Nazaré das Farinhas, na Bahia.

Neste utensílio especial se faz esse molho fresco, cheiroso e essencialmente verde, preparado com limão, coentro, pimentão, cebola, pimentas (malagueta e de-cheiro), azeite de oliva e sal a gosto. Acompanha preferencialmente as comidas do mar.

A comida traz um sentimento amplo e integrado ao ambiente. A minha experiência com o molho lambão aconteceu no Mercado Modelo, em Salvador, local onde muita gente se reúne para comer, beber e conversar nas manhãs de sábado.

O ato de comer em pé é uma opção *fast-food* da melhor qualidade, pois trata-se de uma refeição para consumo rápido que sempre existiu, faz parte de um ritual social que não necessariamente está relacionado à comida de má qualidade.

Nos bares do Mercado Modelo come-se "passarinha frita", moelas, peixes, ostras, sururu e a tão celebrada "lambreta" – tudo é mergulhado em tigelas de barro com muito molho lambão. E, claro, também não podem faltar as batidas de maracujá, de coco, de amendoim, de tamarindo; e tantas outras saboreadas na comensalidade compartilhada.

O molho lambão é ainda conhecido como molho de pimenta e limão, um molho do litoral. A quantidade dos ingredientes depende da emoção de cada um; quem quer mais ardor usa mais pimentas e vice-versa. Também, para dar cor e sabor, o coentro é bastante desejado. Esta e tantas outras receitas, como vimos, apresentam resultados culinários conforme cada criador. Que tal experimentar?

MOLHO DE FEIJOADA À BAIANA

A partir do feijão popularmente conhecido como "mulatinho" nasce a feijoada tradicional baiana, que também pode ser preparada com feijão-preto.

Como toda boa feijoada, ela é feita com "carnes fortes" – defumadas, salgadas, gordas – e muito condimentada com pimenta-do-reino, hortelã fresca entre muitos outros temperos. Certamente essa refeição deve ser coroada com a farinha de mandioca do Recôncavo, especialmente as de Nazaré das Farinhas, uma farinha bem fininha, de cor e sabor peculiares.

A pimenta é um ingrediente fundamental na mesa baiana. Ela entra para apurar os sabores e criar estilos apenas encontrados nessa gastronomia "quente", que combina pimentas frescas e secas.

Um importante complemento para a feijoada é o especial molho de pimenta, feito para realçar o sabor. A base dele é o caldo da própria feijoada, acrescido de pimentas frescas (malagueta ou pimenta-de-cheiro), que dão o colorido, o perfume e o sabor especiais, limão e cebola.

Vale ressaltar que molho é uma escolha pessoal, um complemento quase autoral na organização de um prato. É ele que acentua os sabores, ampliando o desejo do comensal. E a feijoada é para se comer com desejo. É uma verdadeira ode à gula!

MOLHO FRESCO DE PIMENTA CRUA

Com certeza os molhos apimentados têm estilos e funções determinados para integrar um prato e destacar os sabores.

Para o imaginário coletivo a Bahia é o território das pimentas, isso porque é consenso que as comidas baianas são "quentes", ou seja, apimentadas/condimentadas.

Entre as mais utilizadas estão especialmente a malagueta, a dedo-de-moça, a pimenta-de-cheiro e a cumari. O imaginário coletivo também reforça a ideia de que tudo na Bahia leva azeite de dendê. São aspectos de um ideal do que seria "típico", o que na verdade apenas simplifica a variedade e a diversidade de ingredientes e receitas que compõem a pluralidade da mesa baiana.

Os molhos tradicionais são frescos e preparados à base de água, sem azeite de oliva ("azeite doce", como o azeite de oliva é chamado na Bahia), ou de qualquer outro tipo. Acompanham variados pratos da culinária da baiana.

O molho fresco de pimenta crua, também conhecido como molho de pimenta e limão, é preparado com os seguintes ingredientes:

10 pimentas-malaguetas, sal a gosto, 1 ramo de coentro, sumo de 2 limões, 1 cebola, salsinha e água.

Sem dúvida, trata-se de um molho tropical que pica mas também refresca, marcando da melhor forma os muitos sabores da Bahia.

MOLHO PARA ACARAJÉ E ABARÁ

O molho é um complemento inseparável para pronunciar os sabores do acarajé e do abará, comidas que apresentam cor e perfume especiais devido ao uso do azeite de dendê. Pode-se dizer que esse molho é quase um creme de pimenta, apurado para o mais apimentado, o mais "quente".

Na língua iorubá, "acará" significa "bolinho", daí o nome acarajé. Essa especialidade baiana é um preparo feito com a massa do feijão-fradinho, cebola e sal, tem o formato de uma colher de sopa e é frito no azeite de dendê fervente. O acará vem da parte ocidental da África, o Golfo da Guiné, território também do nosso tão apreciado acarajé. Comida de final da tarde, o acará era comercializado já pronto em bacias de ágata; foi assim que experimentei no bairro Popo, na cidade de Cotonou, no Benin.

Atualmente, o acarajé ganhou um novo formato, maior e com muitos acréscimos, transformando-se quase num sanduíche. Ele é recheado com vatapá (de acarajé, que é mais simples do que o vatapá de mesa), caruru, salada e ainda o molho, um dos complementos mais apreciados, pois destaca o tão desejado "quente", o apimentado.

A maneira mais comum de comer acarajé com molho é aberto ao meio, passando o molho de maneira generosa, o que dará a intensidade do calor, da picância, aos apreciadores de pimenta.

Contudo, há a opção do acarajé sem molho, de uso ritual nos terreiros de candomblé. O acarajé também é uma comida sagrada, e as pimentas têm uso e sentido ritual distinto nos terreiros. Dessa forma os ingredientes são revelados nas receitas de comidas ofertadas às divindades e aos homens.

As pimentas são associadas ao fogo, por isso os orixás representados pelo elemento fogo têm relação com elas e as oferendas para esses orixás levam pimenta nos rituais religiosos.

Assim, comidas apimentadas ou sem temperos, comidas coloridas ou totalmente brancas formam verdadeiros "textos comestíveis", pois têm sentidos e funções determinados segundo a sabedoria tradicional e religiosa de matriz africana.

No caso do acarajé de rua, vendido na banca ou no tabuleiro, o molho integra-se ao entendimento do próprio acarajé, pois é o melhor complemento para harmonizar com o bolinho frito, ou com o cozido do abará.

Dentro do imaginário de matriz africana, a designação nagô assume um testemunho daquilo que é africano, em especial da civilização iorubá. Embora haja uma diversidade de povos e culturas africanos presentes no Brasil, especialmente na Bahia, é o termo nagô que assume uma espécie de sacralidade identitária.

Uma grande parcela da população brasileira busca por referências e símbolos da ancestralidade que possam marcar seu sentimento de pertença às culturas e aos povos do continente africano.

Assim, o termo nagô passa a ser uma referência geral para "afro", ou afrodescendência. E, também, uma referência para a mitologia dos orixás, para os estilos de penteados afro; para os ritmos, as danças, as comidas, os ingredientes entre tantas outras maneiras de significar a matriz africana como um lugar social.

Integrado ao acarajé e ao abará, duas comidas de expressão civilizatória africana na Bahia, está o tão celebrado molho nagô. Trata-se de um molho fundamental para as comidas feitas à base de feijão e dendê, preparado com pimenta-malagueta seca, camarões defumados, cebola, sal e azeite de dendê. Tudo é pilado e a massa resultante é frita no dendê, transformando-se num molho grosso. Sem dúvida, o molho nagô é um dos muitos sabores que dão a identidade afrodescendente aos paladares baianos.

Sim, há técnicas especiais para fazer esse molho, como também acontece com a massa do acarajé e do abará. É um toque especial do estilo de cada "baiana", o que dá o reconhecimento pelas características especiais de como se prepara o molho de acarajé. Certamente são preservados ingredientes secretos, aqueles que realmente dão a diferença e a marca autoral de cada receita. Diferentemente do molho fresco, o do acarajé traduz maturidade, é um processo de deixar impregnar para só então conquistar o "buquê", que somado ao perfume do acarajé recém-frito oferece uma combinação quase divina de sabores.

Sem dúvida a cozinha é autoral e ao mesmo tempo memorial, pois os molhos formam um amplo campo de criação e de assinaturas, trazendo diferentes sabores sobre bases tradicionais.

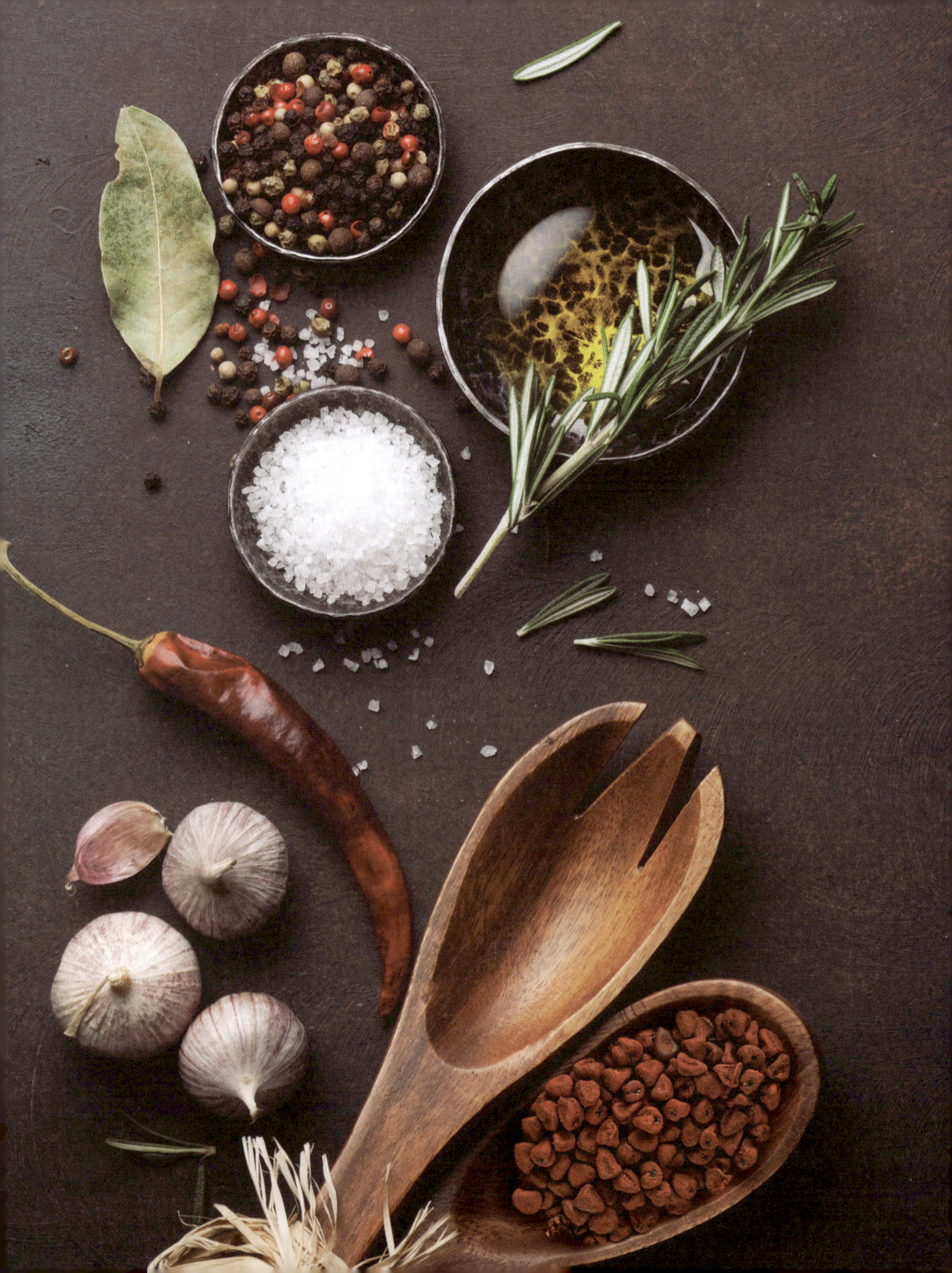

18. Pimenta-do-reino, cominho e urucum

As especiarias colorem, perfumam e dão sabor. Ampliam as invenções nas cozinhas. O brasileiro tem um forte hábito de valorizar os temperos, considera que as comidas são mais gostosas quanto mais coloridas e perfumadas.

A pimenta-do-reino, o cominho e o urucum formam um trio bem popular, fazendo parte de muitos preparos culinários em diferentes regiões do Brasil.

Também chamada de pimenta-preta, a pimenta-do-reino marcou uma transformação nos hábitos culinários da Europa, juntamente com outras especiarias do Oriente. E o cominho, especiaria muito antiga, já estava presente nas receitas durante a Roma Antiga (em especial no pão de cominho, um alimento dos centuriões romanos), além de ser usado em carnes, queijos, leguminosas e até em bebidas. É um sabor marcante, que traz o perfume do Oriente.

A pimenta-do-reino também já era conhecida dos romanos no século V. Tinha grande importância econômica, como mostrado no episódio em que Átila, rei dos hunos, exige a quantidade de "mil e trezentos quilos" de pimenta-do-reino como pagamento para libertar Roma do seu domínio.

Nas mesas dos nobres europeus, a pimenta-do-reino era usada para temperar e para melhorar a digestão das carnes de caça, além de ser um importante conservante para os alimentos. E certamente, com a possibilidade de uma melhor conservação dos alimentos, Portugal pôde se lançar ao além-mar para viagens mais longas, nas chamadas Grandes Navegações.

No Brasil, pode-se entender a chegada das pimentas, com os jesuítas, em especial a pimenta-do-reino, procedentes de Timor e de Macau (China).

O colonizador lusitano já havia incorporado o uso da pimenta-do-reino a partir do contato com mercadores árabes nos mercados da África mediterrânea e após as Grandes Navegações pelo Oriente. Também já utilizava outras pimentas, que comercializava da costa ocidental do continente africano e das Américas, de onde chegavam pimentas secas e frescas de diferentes tipos, formas e sabores, para uso variado nas cozinhas.

A pimenta-do-reino foi tão importante que serviu como moeda comercial, ampliando-se e se popularizando nas colônias. No caso do Brasil, passou a integrar amplamente a nossa gastronomia.

Vendida a granel, a pimenta-do-reino é uma especiaria base para se fazer desde o popular baião de dois até o doce de sangue de porco, além do chouriço, que não é o mesmo que o embutido feito com a carne de porco.

A pimenta-do-reino tem aroma fresco, picante e quente, e quando está seca, madura, é mais picante em virtude da sua casca, rica em chavicina. Quando não está muito madura, pode-se retirar a casca e ela se torna mais suave, sendo conhecida como pimenta-do-reino branca.

O cominho, *Cuminum cyminum*, é do Oriente e também muito cultivado no norte da África, na Sicília (Itália), nos países do Oriente Médio e na Índia. Os povos do Mediterrâneo têm o hábito de cultivá-lo para colocar em seus preparos culinários tradicionais. Muitas vezes o cominho até substitui a pimenta. O seu perfume é marcante; seu sabor, dominante.

O cominho também é fundamental na mesa do México. No Brasil, é muito usado no Nordeste para o preparo de carne de gado vacum e de galinha.

Quanto ao urucum (ou urucu – *Bixa orellana*) é um produto nativo, da Amazônia, e tem uma longa tradição nos usos e costumes dos povos da floresta. Tradicionalmente usado como pigmento para pintura corporal nas complexas culturas indígenas, também serve para dar cor à comida, o que amplia seu uso para além da floresta, sendo uma das especiarias mais populares no Brasil.

Também muito conhecido como colorau, o urucum tem uma forte coloração vermelha e já era conhecido no século XVIII, porém como "açafrão caboclo". Seu nome atual provavelmente deriva da palavra tupi *uru-ku*, que significa "vermelho".

Feito a partir das sementes da planta, seu pó vermelho, o colorau, dá um atributo estético à comida. O vermelho é uma cor profundamente simbólica, pois agrega o sentimento de fertilidade, calor e magia à comida.

Há também outros condimentos nativos, como a pimenta bananinha, *Piper dilatatum* Rich., espécie nativa da Amazônia. Encontrada de forma endêmica, não recebe cultivos e os seus frutos são coletados nas matas, nas beiras dos rios, e depois cozidos para se tornarem comestíveis. O seu nome origina-se de seu formato – que lembra uma pequena banana que quando madura torna-se amarela. A pimenta bananinha é usada em geleias ou mesmo na cachaça ou outros destilados, para apurar e revelar novos sabores, os sabores da Amazônia.

Já a pimenta-de-galinha, *Solanum americanum*, também conhecida como caraxixá e erva-moura, cresce em jardins, hortas e até mesmo nas ruas. Se não fosse comestível estaria na categoria popular de "mato". Usada em diferentes preparações culinárias, em especial em geleias. As suas folhas também podem ser cozidas e misturadas em farofas, no arroz, ou ainda picadas como a couve. Na forma de sopa, são aproveitados os brotos e as folhas.

A pimenta rosa, *Schinus terebinthifolius* Raddi., popularmente conhecida como aroeira, fruto da aroeira, aroeira-vermelha ou aguaraíba, encontra a cozinha gourmet e hoje é muito usada para compor a estética de diferentes pratos. Espécie nativa, é muito aromática e tem ardência muito sutil. Assim, consta da preparação tanto de pratos salgados como doces. Há ainda a *Schinus molle*, de uso similar à pimenta rosa.

Além da *Piper nigrum* L., a tão conhecida pimenta-do-reino, há muitas outras pimentas do mesmo gênero cultivadas no Oriente (em países como Índia, Nepal e Java). São elas: *Piper longum; Piper betle* L.; *Piper cubeba* L.; *Piper sylvaticum* Roxb.; *Piper metallicum* L.; *Piper methysticum* L.

19. Receitas bem ardidas

Buscando *o tempero que arde*. A primeira obra publicada no Ocidente, que reúne um conjunto de receitas formais, é *De re coquinaria*, do autor Apicius. Essa obra foi escrita na época de Augusto e de Tibério, entre 30 e 37 a.C, e contém um amplo conjunto de receitas com estilos e tendências de se comer entre a nobreza em Roma, durante o Império Romano.

É uma coleção com dez livros, organizados em capítulos, da seguinte maneira:

- Livro I. O cozinheiro aplicado.
- Livro II. Picados.
- Livro III. O hortelão.
- Livro IV. Receitas diversas.
- Livro V. Legumes de vagem.
- Livro VI. Aves.
- Livro VII. O cozinheiro perdulário.
- Livro VIII. Quadrúpedes.
- Livro IX. Mar.
- Livro X. O pescador.

São 468 receitas distribuídas num precioso exercício de possibilidades dos ingredientes, e um texto sobre a hierarquia entre os ingredientes, sobre as interpretações culinárias, sobre a estética da comida, os rituais de comensalidade e sobre temas contextuais do Império Romano – época analisada por Apicius, que relata em bases históricas e etnográficas os sistemas alimentares dos nobres.

Esse texto traz uma leitura delicada sobre a comida e mostra algumas tecnologias para produzir vinho, azeite de oliva, molhos especiais, conservas entre outros.

Há que se destacar que nos dez livros vê-se um quase obrigatório uso das pimentas. Contudo, o tipo de pimenta não é especificado.

Apicius reconhece e valoriza esse tempero, a pimenta, que insere-se em um conjunto de muitas outras especiarias, com forte identidade mediterrânea.

As receitas de molhos, todas têm pimenta. Também os doces. Em seus relatos, Apicius orienta que as pimentas sejam moídas, raladas, e ainda indica as pimentas secas.

Nessa obra fundamental para a cozinha, sem dúvida, a pimenta é tema dominante e de grande importância para Apicius.

Assim, agora vamos nos dedicar a treinar e a experimentar um pouco desse ingrediente tão fascinante que sempre fez parte da nossa história e da história de muitos outros povos.

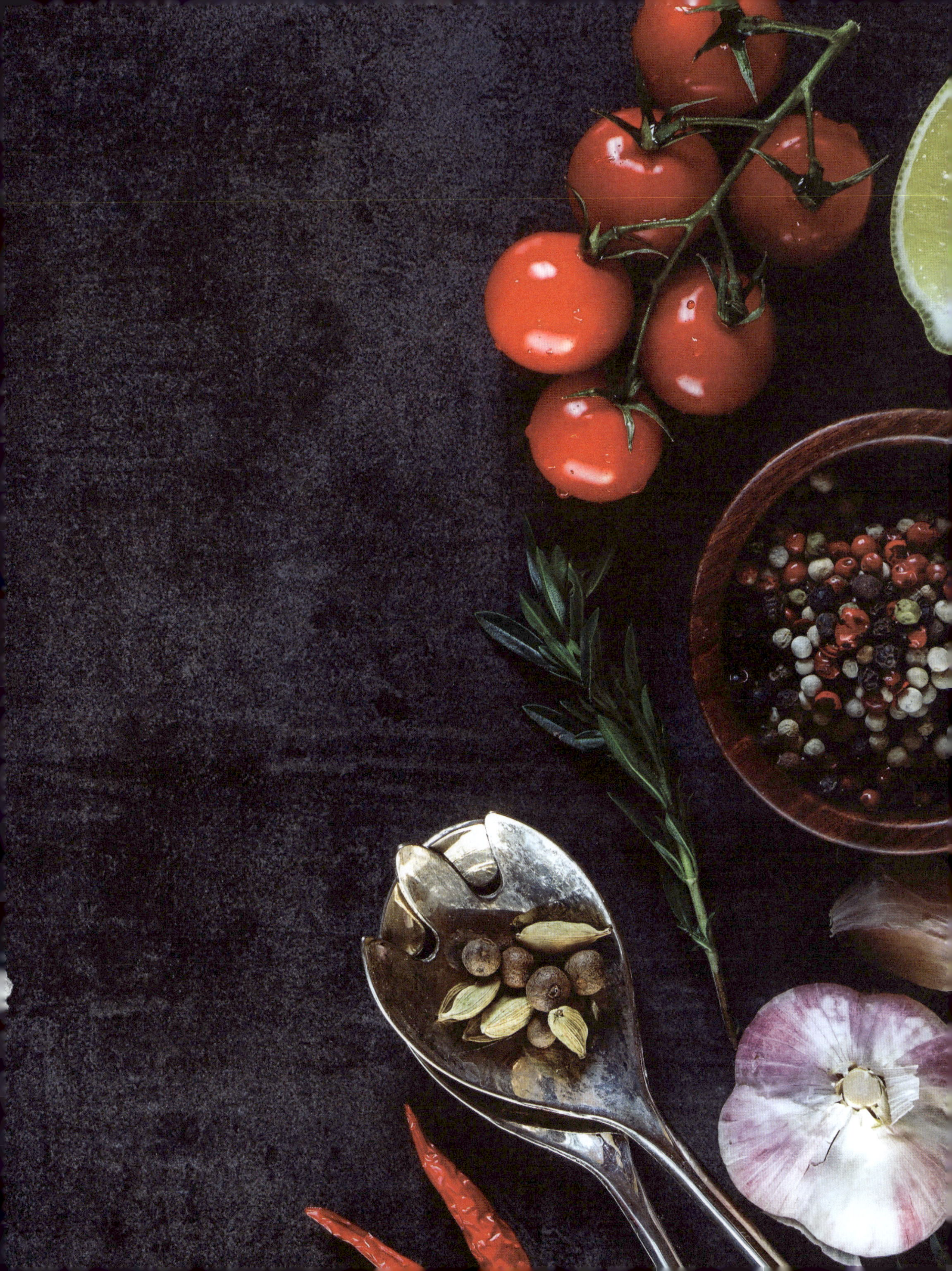

MÉXICO

CLEMOLE

INGREDIENTES: 1 galinha; 10 chilis cascabel (*Capsicum annuum* L.); 250 g de chili ancho; 250 g de feijão-verde; 250 g de abobrinha; 250 g de milho-verde; 10 g de pimenta-da-jamaica; 1 cebola; 2 dentes de alho; 4 cravos-da-índia; banha de porco; sal e pimenta a gosto.

MODO DE PREPARO: Corte a galinha e ponha para cozinhar com água o suficiente para cobri-la.

Acrescente metade da cebola partida em quatro, um dente de alho amassado e o sal. Dentro de um saco feito com gaze (ou tecido fino), coloque os grãos de pimenta-da-jamaica e os cravos.

Quando a galinha estiver cozida, acrescente o feijão-verde, o milho e a abobrinha em pedaços (cuidado para que não se desfaçam).

Faça o molho: asse os chilis (cascabel e ancho), acrescente água quente. Reserve a metade para liquidificar com um pouco de alho, cravo e pimenta. Junte tudo novamente e refogue na banha de porco com umas fatias de cebola. Quando o molho estiver bem cozido, acrescente a galinha, tomando cuidado para que a abobrinha e o feijão-verde não se desfaçam. O caldo deverá ficar muito espesso. Sirva bem quente.

CHILIS CUARESMEÑOS À ESCABECHE

INGREDIENTES: 1 kg de chili cuaresmeño (jalapeño) em tiras; 1 kg de cenoura descascada cortada na diagonal; ½ kg de alho; 1 kg de cebola; 1 kg de champignon (cogumelo-de-paris); 1 kg de abobrinha italiana fatiada; ½ couve-flor em buquê; 1 bouquet garni (perejil, tomilho, louro); 3 l de vinagre branco; 1 l de água; 150 gr de sal grosso; 125 ml de azeite de oliva; 1 colher (café) de pimenta-do-reino; 1 colher (café) de cravo-da-índia; 100 ml de óleo de milho, sementes de girassol e cúrcuma a gosto.

MODO DE PREPARO: Refogue os ingredientes no azeite quente, um a um, mexendo sempre com a colher de pau. Primeiro a cenoura;

em seguida, o alho picado, a cebola picada, os cogumelos, a couve-flor e, por último, a abobrinha. Tenha cuidado para ficar *al dente*. Se desejar, tempere com um pouco de sal. Coloque o chili.

Em outra panela, ponha para esquentar a água com sal e acrescente o vinagre antes da água ferver. Despeje sobre os legumes prontos, apague o fogo e ponha o bouquet garni, a pimenta-do-reino e o cravo. Deixe repousar por 12 horas para apurar bem. Conserve em um vidro esterilizado.

AJOLOTE COM CHILI VERDE E QUINTONILES/BREDO

INGREDIENTES: 1 kg de pescada branca); ½ kg de tomate verde; 15 chilis verde/serrano (*Capsicum annuum* L.); ¼ de cebola; 3 colheres (sopa) de manteiga; 2 dentes de alho; 1 maço de bredo (*Amaranthus hybridus*); sal a gosto.

MODO DE PREPARO: Limpe e corte o peixe em pedaços. Ferva os chilis, o tomate, a cebola e o alho e pile-os.
Coloque o peixe e o bredo para refogar na manteiga. Tempere.
Agora, despeje os chilis, a cebola, o tomate e o alho pilados sobre o peixe.
Deixe até que o peixe esteja cozido, retire e sirva quente.

MOLE DE GUAJOLOTE

INGREDIENTES: 1 peru (guajolote) de 6 kg; 6 chilis chipotle* (chili jalapeño defumado e seco); 12 chilis anchos* (poblano seco); 1 kg de chili mulato* (variedade de chili poblano, também seco); 125 g de chili pasilla* (chili chilaca quando seco); (**Capsicum annuum*); 500 g de amêndoas inteiras; 5 colheres (sopa) de gergelim; 4 tomates; 1 colher (sopa) de alho assado; 50 g de canela em pedaços; 2 colheres de chá de anis em pó; 1 colher (chá) de pimenta-do-reino; 1 colher (café) de cravo-da-índia; 1 colher (café) de semente de coentro; 4 fatias de pão; 1 tortilha; 6 quadradinhos de chocolate; açúcar a gosto; sal a gosto.

MODO DE PREPARO: Limpe os chilis por dentro e asse. Moa-os

no liquidificador ou no pilão. Moa as amêndoas, o cravo e as sementes de coentro da mesma maneira.

Refogue o tomate, o alho, o anis e a canela no azeite. Também, a tortilha e o pão. Tempere e acrescente o açúcar e o sal.

Leve tudo para cozinhar em fogo lento durante 1 hora, mexendo sempre para não criar grumos. Coe. Caso fique muito espesso, acrescente água. Coloque os pedaços de peru já cozido.

MOLE POBLANO

INGREDIENTES: 1 peru; 400 g de chili mulato limpo* (*sem semente e fibras internas); 400 g de chili ancho limpo; 100 g de chili pasilla limpo; 3 chilis chipotles limpos e fervidos; 4 tomates; 100 g de gergelim tostado; 100 g de uvas-passas; 100 g de amendoim; 1 pão francês pequeno; 3 pimentões; 2 cravos-da-índia; anis-estrelado em pó a gosto; canela em pedaços a gosto; 3 cebolas; 1 tortilha; 5 dentes de alho; 2 tabletes de chocolate; açúcar a gosto, 2 l de caldo de galinha.

MODO DE PREPARO: Limpe o peru, corte-o em pedaços e refogue em uma caçarola grande.

Asse e pele os tomates; moa juntamente com o chili chipotle. Depois, acrescente ao peru. Quando secar, acrescente um litro de caldo de galinha, tempere com sal e cozinhe em fogo baixo.

Refogue todos os chilis na manteiga até ficarem ligeiramente dourados, ou seja, com a parte interna avermelhada, tomando cuidado para não queimar.

Em uma assadeira grande, toste o gergelim e o anis e reserve. Em outra panela, frite o amendoim, as uvas-passas, o pão, a tortilha e as especiarias.

Moa tudo juntamente com os chilis, o alho e a cebola. Acrescente mais um litro de caldo para dissolver. Agora, ponha o chocolate e deixe até ficar espesso. Acrescente o açúcar e os pedaços de peru.

Antes de servir, polvilhe com o gergelim tostado.

EL CHILI AGUASCALIENTES

INGREDIENTES: chili rojo ancho seco; carne de porco moída; carne de boi moída; cebola; alho; uvas-passas; goiaba; ½ xícara de leite; nozes; 1 pão tipo bisnaga; sal, consomê de galinha; pimenta-do-reino moída; creme de rancho/puchera (cozido feito com carne, grão de bico, batata, cebola, alho, massa).

MODO DE PREPARO: Demolhe os chilis em água açucarada. Escorra e limpe-os.

Refogue a cebola, a carne moída de porco e por último a de boi, mexendo sempre.

Acrescente a bisnaga, as nozes, a goiaba sem sementes e as uvas-passas, tudo previamente picado.

Demolhe um pãozinho francês em leite e agregue-o à carne, para que dê liga.

Deixe esfriar e recheie os chilis.

Liquidifique as nozes, o leite e o creme de rancho. Tempere com sal e banhe os chilis neste molho.

ÁFRICA

FUFU DE INHAME E BANANAS-DE-SÃO-TOMÉ (SÃO TOMÉ E PRÍNCIPE)

INGREDIENTES: 450 g de inhame branco; 2 bananas-de-são-tomé verdes; 1 colher (sopa) de manteiga; sal e pimenta-preta ou branca.

MODO DE PREPARO: Descasque o inhame e corte-o em rodelas. Coloque numa caçarola, cubra com água fria e tempere com sal.

Corte as bananas ao meio, no sentido do comprimento e descasque-as. Junte-as ao inhame e leve ao fogo. Deixe levantar fervura e cozinhe por 25 minutos.

Escorra tudo e coloque num multiprocessador. Junte a manteiga, sal e pimenta. Bata até ficar homogêneo e com consistência firme.

Molde bolas com a massa. Sirva como acompanhamento para guisados.

ESPETINHO – KYINKYINGA (ANGOLA)

INGREDIENTES: 1 kg de carne bovina cortada em cubos; 4 cebolas médias cortadas em cubos; 2 colheres (chá) de gengibre ralado;

90 g de amendoim torrado e moído; 2 tomates grandes em purê; 1 colher (sopa) de sal com alho; 2 colheres (sopa) de farinha de arroz; 1 colher (sopa) de molho de pimenta; 1 xícara (chá) de conhaque de gengibre; ½ xícara (chá) de água; 3 pimentas-verdes cortadas em cubos.

MODO DE PREPARO: Numa tigela, coloque os cubos de carne e tempere com a cebola, o gengibre ralado, a farinha de arroz, os tomates, o sal com alho, ⅔ do amendoim e o molho de pimenta.

Deixe marinar por cerca de 1 hora.

Faça um molho com o conhaque de gengibre e a água, em fogo baixo, até reduzir.

Espete a carne já temperada nos espetos, alternando com cubos de pimenta-verde previamente grelhados dos dois lados.

Depois de pronto, tire do fogo e polvilhe com o restante do amendoim.

Sirva acompanhado do molho de conhaque de gengibre.

KAULÚ (ANGOLA)

INGREDIENTES: 1 punhado grande de rama de batata-doce; 4 postas de peixe seco (corvina); 2 tomates maduros; 1 xícara (chá) de azeite de dendê; 3 gindungos (pimenta-malagueta); sal a gosto.

MODO DE PREPARO: Num tacho, ponha o azeite de dendê para aquecer. Coloque o tomate picado e deixe ferver um pouco.

Acrescente o peixe que esteve de molho cerca de 4 horas.

Então, junte a folhagem da batata-doce, lavada e bem picada, o gindungo e o sal.

Quando a rama estiver cozida, apague e reserve.

Sirva acompanhado de pirão.

CALDO DE PEIXE OU MAFEFEDE (GUINÉ-BISSAU)

INGREDIENTES: 2 peixes secos (tainhas); 1 xícara (chá) de arroz; 1 cebola grande; 2 pimentas-malaguetas; óleo.

MODO DE PREPARO: Limpe e corte a tainha em postas. Deixe-a de molho para o dia seguinte.

Numa panela com óleo, refogue a cebola em rodelas com as malaguetas desfeitas.

Quando estiver dourado, coloque água o suficiente para cozinhar. Assim que levantar fervura, acrescente o arroz e as postas de peixe. Deixe cozinhar até o arroz ficar pronto (deve ficar como uma sopa).

Pode acompanhar baguiche (tipo de espinafre) e jaguetes (tipo de tomate) cozidos.

MUZUNGUÉ (ANGOLA)

INGREDIENTES: 2 cebolas grandes; 2 tomates maduros; ½ xícara (chá) de azeite de dendê; 1 cabeça de peixe; 2 postas grandes de peixe fresco; 1 posta de peixe salgado; 1 mandioca média; 3 batatas-doces; 4 gindungos (pimenta-malagueta); 1 limão; ½ kg de farinha de mandioca torrada.

MODO DE PREPARO: Numa panela, ferva quatro litros de água com o azeite de dendê, as cebolas e os tomates cortados e deixe ferver.

Acrescente as postas de peixe fresco e a posta de peixe seco (que deve ter ficado de molho na véspera), a mandioca, a batata-doce em pedaços e o jindungo picado. Deixe ferver em fogo brando e, estando tudo cozido, acrescente o sumo de um limão.

Deite a farinha de mandioca torrada num pirex e misture com o óleo que se formou em cima do caldo, fazendo uma papa, que será o acompanhamento.

QUIXILUANDA (ANGOLA)

INGREDIENTES: 300 g de sobras de peixe (cozido, assado ou frito); 200 g de cebola; 300 g de tomate; 3 colheres (sopa) de azeite de dendê; gindungo (pimenta-malagueta) a gosto; 75 g de farinha de pau mimosa; sal a gosto; 1 ramo de salsinha.

MODO DE PREPARO: Tire as espinhas e parta o peixe em pedaços.

Descasque e pique a cebola. Pele e corte os tomates.

Num tacho, junte a cebola, o tomate e o azeite. Coloque um litro de água, o ramo de salsinha, o sal e o gindungo.

Leve ao fogo e deixe ferver até a cebola cozinhar. Então, coloque o peixe. Um pouco antes do final do cozimento, adicione a farinha de pau e deixe cozinhar, até ficar uma papa de consistência grossa.

HARIRA (MARROCOS)

INGREDIENTES: 2 colheres (sopa) de azeite; 225 g de carneiro magro cortado em cubos; 1 cebola picada; 115 g de grão-de-bico demolhado e escorrido; 1½ l de água; 115 g de lentilha vermelha; sal e pimenta a gosto; 400 g de tomate sem pele e sem semente picado; 1 colher (sopa) de extrato de tomate; 1 colher (chá) de canela em pó; 1 pimentão vermelho sem semente picado;

50 g de aletria; 1 ramo de coentro picado; quartos de limão para servir.

MODO DE PREPARO: Aqueça o azeite num tacho grande e refogue a carne até ficar ligeiramente acastanhada. Misture com a cebola e cozinhe em fogo brando até amaciar. Coloque o grão-de-bico e a água e leve ao fogo até ferver. Tampe e deixe cozinhar durante 1 hora, ou até que o grão esteja quase macio.

Junte as lentilhas, o tomate, o extrato de tomate, a canela e o pimentão, e deixe cozinhar por mais 15 minutos.

Adicione a aletria. Deixe levantar fervura e cozinhe por mais 15 minutos, até que as lentilhas e a aletria fiquem tenras; misture o coentro e tempere com sal e pimenta. Sirva com os quartos de limão.

GALINHA COM AMEIXAS, MEL E CANELA – DJAJ BIL BARGOUG WA ASSEL (MARROCOS)

INGREDIENTES: 2 colheres (sopa) de azeite; 4 porções de galinha; 1 pedacinho de pau de canela; 3 tomates sem pele picados; 425 ml de caldo galinha; sal e pimenta a gosto; 115 g de ameixas; 1 colher (sopa) de mel; 1 colher (sopa) de gengibre fresco ralado; 50 g de uvas-passas; uma pitada de filamentos de açafrão pisados; 150 ml de água; sementes de sésamo (gergelim) para guarnecer.

MODO DE PREPARO: Aqueça o azeite num tacho, toste a galinha, junte a canela, os tomates, o caldo e tempere com sal e pimenta.

Leve ao fogo e deixe levantar fervura. Tampe e deixe cozinhar suavemente em fogo brando durante 45 minutos. Retire a tampa perto do fim.

Separadamente, cozinhe as ameixas com mel, gengibre, uvas-passas e açafrão na água durante 15 minutos, até que tudo fique macio.

Mude a galinha para um prato aquecido e mantenha quente.

Ferva o caldo de galinha até reduzir para 150 ml, adicione as ameixas e aqueça de novo por 1 minuto. Depois, derrame por cima da galinha e guarneça com as sementes de sésamo, tostadas.

ÍNDIA

QUIABO COM IOGURTE

INGREDIENTES: 450 g de quiabo; 1 colher (sopa) de óleo; 1 colher (sopa) de sementes de cebola; 3 pimentas verdes médias picadas; 1 cebola média fatiada; 1 colher (chá) de cúrcuma; 1 colher (chá) de sal; 1 colher (sopa) de iogurte natural; 2 tomates médios fatiados; 1 colher (sopa) de coentro picado; pão indiano (chapati) para acompanhar.

MODO DE PREPARO: Lave e retire as extremidades do quiabo. Corte-os em pedaços de 1 cm e reserve.

Aqueça o óleo numa frigideira, adicione as sementes de cebola, as pimentas verdes e a cebola fatiada e refogue até dourar.

Reduza o fogo, adicione a cúrcuma e o sal e refogue mais um pouco.

Adicione os quiabos e aumente o fogo; continue a refogar até amaciar.

Misture o iogurte, os tomates e o coentro. Deixe até que o tomate esteja macio.

Sirva ainda quente, acompanhado do pão indiano.

BATATA TEMPERADA PICANTE

INGREDIENTES: 12 batatas inglesas pequenas cortadas ao meio; ½ colher (sopa) de sal; 1 colher (sopa) de óleo; ½ colher (sopa) de pimenta vermelha em pó; ½ colher (sopa) de cominho em sementes; ½ colher (sopa) de sementes de erva-doce; ½ colher (sopa) de sementes de coentro esmagadas; 1 cebola média fatiada; 3 pimentas vermelhas frescas cortadas; 1 colher (sopa) de coentro fresco picado.

MODO DE PREPARO: Cozinhe as batatas até que fiquem macias. Escorra e reserve.

Em uma panela funda, aqueça o óleo até ficar bem quente; abaixe o fogo, acrescente a pimenta vermelha em pó e as sementes de cominho, de erva-doce e de coentro, um pouco de sal, e refogue por cerca de 40 segundos.

Acrescente a cebola e refogue até dourar. Ponha a batata já cozida, a pimenta fresca e o coentro picado.

Tampe a panela e deixe cozinhar por cerca de 5 minutos, em fogo baixo. Sirva quente.

BANANAS RECHEADAS

INGREDIENTES: 1 maço de coentro; 4 bananas (prata, banana-da-terra ou banana-comprida) quase maduras; 2 colheres (sopa) de coentro em pó; 1 colher (sopa) de cominho em pó; 1 colher (chá) de pimenta-do-reino; ½ colher (chá) de sal; ¼ de colher (chá) de açafrão-da-terra; 1 colher (chá) de açúcar granulado; 1 colher (sopa) de besan (farinha de grão-de-bico), 6 colheres (sopa) de óleo; ¼ de colher (chá) de sementes de cominho; ¼ de colher (chá) de sementes de mostarda-preta.

MODO DE PREPARO: Reserve 2 ou 3 ramos de coentro. Se necessário, remova as raízes e os caules mais grossos. Corte finamente.

Corte as bananas, transversalmente, em três pedaços iguais, e faça uma fenda, ou seja, corte cada pedaço no sentido do comprimento, mas só até o centro da banana. Não retire a casca.

Sobre um prato, coloque os temperos em pó: coentro, cominho, pimenta, açafrão-da-terra. Acrescente o sal, o açúcar, o besan, o coentro picado e 1 colher (sopa) de óleo. Misture bem as especiarias com os dedos.

Cuidadosamente, recheie cada pedaço de banana com a mistura de especiarias, tomando cuidado para não partir a banana ao meio.

Aqueça o restante do óleo numa panela grande e frite as sementes de cominho e de mostarda até que comecem a crepitar. Adicione as bananas e misture gentilmente ao óleo.

Tampe e cozinhe em fogo baixo por 15 minutos, virando para que cozinhem por igual, até que estejam macias, mas não moles.

Decore com ramos de coentro e sirva com pão indiano, se desejar.

GRÉCIA

🌶 ENSOPADO DE GALINHA COM QUIABO

INGREDIENTES: 2 colheres (sopa) de azeite de oliva; 1½ kg de coxas de galinha; 1 cebola grande em fatias finas; 3 dentes de alho amassados; 2 colheres (sopa) de extrato de tomate; 1 colher (chá) de pimenta-de-caiena; 400 g de purê de tomate; 250 ml de caldo de galinha; 250 ml de água; 200 g de quiabo; sal a gosto.

MODO DE PREPARO: Aqueça o azeite em uma panela grande, refogue as coxas de galinha até dourar, retire e reserve.

Na mesma panela, refogue a cebola e o alho, mexendo sempre até que fiquem macios; então, adicione o extrato de tomate e a pimenta e continue mexendo por mais 1 minuto. Retorne a galinha à panela e adicione o purê de tomate, o caldo de galinha e a água. Deixe ferver. Cozinhe em fogo baixo, com a panela tampada, por mais 40 minutos.

Adicione o quiabo e o sal e continue cozinhado em fogo baixo, com a panela destampada, até que a galinha esteja cozida.

🌶 GRÃO-DE-BICO COM PIMENTA BANANA

INGREDIENTES: 200 g de grão-de-bico; 400 g de tomates picados inteiros; 750 g de pimentas bananas abertas no sentido do comprimento sem sementes; 300 g de cebola-roxa em pedaços; ½ xícara (chá) de salsinha picada grosseiramente; 1 colher (sopa) de orégano; 4 folhas de louro; 2 dentes de alho cortados finamente; 125 ml de vinho branco seco; 825 ml de água; queijo pecorino a gosto para ralar; sal a gosto.

MODO DE PREPARO: Na noite anterior, coloque o grão-de-bico de molho numa tigela com água.

Preaqueça o forno a 160 °C.

Escorra o grão-de-bico, coloque-o num refratário fundo. Misture com os tomates, o sal e, em cima, coloque as pimentas e as cebolas. Sobre tudo, espalhe as ervas e o alho. Adicione o vinho e a água. Leve ao forno, coberto com papel-alumínio, por 1 hora. Retire a cobertura e mantenha no forno por cerca de 30 minutos, ou até que o grão-de-bico esteja macio e o líquido se reduza.

Sirva com o queijo ralado por cima.

ITÁLIA

ACELGA REFOGADA COM ALHO E PIMENTA

INGREDIENTES: 1 ½ kg de acelga; 1 pimenta picante (fresca ou seca); 1 dente de alho; azeite de oliva a gosto; sal a gosto.

MODO DE PREPARO: Lave e seque bem a acelga, retirando o miolo e as folhas estragadas. Use apenas as folhas, não os talos.

Em uma panela, coloque água salgada o suficiente para que cubra a acelga quando começar a ferver; deixe escaldar por 5 minutos. Escorra, passe-a na água fria e deixe num escorredor.

Em uma frigideira, coloque um fio de azeite, o dente de alho esmagado e a pimenta em pedaços. Assim que o alho dourar, retire-o e acrescente a acelga, salteando-a na frigideira com um garfo (fique atento para evitar que salpique).

Acrescente sal, se necessário, e deixe cozinhar, em fogo médio, até que todo o líquido tenha evaporado. Sirva quente.

ESPAGUETE AO ALHO E ÓLEO COM PIMENTA

INGREDIENTES: 200 g de macarrão tipo espaguete; azeite a gosto; 1 pimenta picante (fresca ou seca); 1 dente de alho; salsinha e sal a gosto.

MODO DE PREPARO: Cozinhe o espaguete em água salgada. Escorra quando estiver *al dente*.

Enquanto isso, em outra panela, coloque o dente de alho amassado e a pimenta, que pode ser em pedaços ou inteira. Acrescente azeite o suficiente para refogar, aproximadamente 4 colheres (sopa), e refogue rapidamente o alho e a pimenta. Apague o fogo e retire o alho da panela.

Neste momento, pegue o macarrão, que já deve ter sido escorrido, acenda novamente o fogo, e, quando o azeite estiver quente, coloque o macarrão e refogue-o rapidamente. Use um punhado de salsinha picada grosseiramente espalhada por cima, no prato já pronto. Sirva quente.

AS BEBIDAS E SUAS COMBINAÇÕES COM AS PIMENTAS

Trago das nossas tradições as pimentas na forma de molhos, ou como ingredientes do próprio preparo, conforme o costume culinário, onde, sem dúvida, cada uso tem uma fala, uma cor peculiar. E esse rico e amplo acervo de comidas, feitas ou enriquecidas com molhos de diferentes pimentas, pode ser acompanhada com algumas bebidas que fazem parte do ritual de consumo à mesa ou numa banca de mercado ou feira.

Diante de uma cozinha brasileira de base multicultural, e diversa, onde as suas receitas utilizam pimentas frescas, secas, e misturas de várias pimentas, entre tantas, digo que "harmonizar" bebidas com receitas que utilizam pimentas com diferentes níveis de picância, nasce de um olhar complexo e subjetivo; e assim recorro às tradições culturais para considerar o que é normalmente consumido como bebida.

É comum, e muito gostoso, abrir as refeições com uma boa cachaça, seja uma "branquinha" nova ou envelhecida, ambas combinam muito bem com as comidas bem condimentadas, e com as nossas pimentas, que singularizam também o hábito alimentar de levar molho de pimenta ou a pimenta fresca à mesa. Também há a cachaça misturada com limão ou caju, ou fruta da época, e açúcar, a consagrada caipirinha, uma combinação que faz parte da preferência e do contexto brasileiro. Diria que é o que está "ao nosso gosto", prepara o nosso paladar para receber as comidas apimentadas. São rituais que iniciam a refeição, as chamadas "abrideiras".

Contudo, conforme o nível de picância da pimenta, se for suave, é possível combinar com o vinho branco, o vinho rosé ou o vinho verde. Quanto aos vinhos tintos, aqueles que possuem pouco tanino, podem compor com os acentos das pimentas de determinadas receitas. Há quem goste de combinar comidas apimentadas com cerveja, para assim celebrar à boca o calor da comida com o frescor da bebida.

BIBLIOGRAFIA

ARNAUT S. D.; e MANUPPELLA G. (eds.) *Livro de cozinha da Infanta Dona Maria de Portugal.* Lisboa: Imprensa Nacional/Casa da Moeda, 1967.

BACHELARD, G. *A psicanálise do fogo.* São Paulo: Martins Fontes, 1994.

BALJEKAR, M. et al. *Best ever Indian Cookbook.*: Londres: Hermes House, 2014.

BARBOSA, R. I. et al. Pimentas do gênero *Capsicum* cultivadas em Roraima, Amazônia brasileira. I. Espécies Domesticadas. *Acta Amazonica,* Manaus, v. 32, n. 2, pp. 177-192, 2002.

_____. *Pimentas de Roraima (Catálogo de Referência).* Manaus: Inpa/Edua, 2006.

BARBOSA, R. I.; MIRANDA, I. S. Fitosionomias e diversidade vegetal das savanas de Roraima. In: BARBOSA, R. I.; XAUD, H. A. M.; SOUZA, J. M. C. e (orgs.), *Savanas de Roraima:* Etnoecologia, Biodiversidade e Potencialidades Agrossilvipastoris. Boa Vista: Femact, pp. 61-78, 2005.

BERG, E. M. V. D.; SILVA, M. H. L. Contribuição ao conhecimento da flora medicinal de Roraima. *Acta Amazonica,* Manaus, v. 18, n. 1 e 2, pp. 23-35, 1988.

CASALI, V. W. D.; COUTO, F. A. A. Origem e botânica de *Capsicum. Informe Agropecuário,* Belo Horizonte, v. 10, n. 113, pp. 8-10, 1984.

COHEN, S. (ed.). The Australian Women's Wekly. Sydney: ACP Books, 2011.

FICALHO, Conde de. Plantas úteis da África portuguesa. Lisboa: República Portuguesa – Ministério das Colônias, 1944.

GARCIA, A. J. V. El aji (*Capsicum chinense* Jacq.), patrimonio cultural y fitogenético de las culturas amazónicas. *Colombia Amazónica,* Bogotá, v. 5, n. 1, pp. 161-185, 1991.

HEISER, C. B. Peppers: *Capsicum* (Solanaceae). In: SIMMONDS, N. W. (ed.), *Evolution of Crop Plants.* Londres: Longman, pp. 265-268, 1976.

_____; SMITH, P. G. The cultivated *Capsicum* peppers. *Economic Botany,* n. 7, pp. 214-227, 1953.

HUE, S. M. *Delícias do descobrimento*: a gastronomia brasileira no século XVI. Rio de Janeiro: Zahar, 2009. IACOBINO, A.; SAVA, M. T.; ZEMA, M. *Cucina calabrese*: ricette, prodotti tipici, identità. Catanzaro: Local Genius, 2014.

KOCH-GRÜNBERG, T. *Del Roraima al Orinoco*. (Tomo I, II e III). Caracas: Ediciones del Banco Central de Venezuela, 1979-1982.

LIMA, R. R. O. A. Levantamentos preliminares sobre as roças Waimiri-Atroari. *Programa Waimiri-Atroari/Convênio Funai-Eletronorte* (Relatório não publicado). Manaus, 7 pp., 1990.

LODY, R. *A cozinha pernambucana em Gilberto Freyre*: um encontro entre povos e culturas. São Paulo: Biblioteca 24horas, 2013.

_____. *À mesa com Gilberto Freyre*. Rio de Janeiro: Senac Nacional, 2004.

_____. Bahia boa de comer: do carimã ao dendê. In: LODY, R. (org.). *À mesa com Carybé*. Rio de Janeiro: Senac Nacional, 2007.

_____. *Brasil bom de boca*: temas da antropologia da alimentação. São Paulo: Senac, 2008.

_____. *Coco: comida, cultura e patrimônio*. São Paulo: Senac, 2011.

_____. Cozinha brasileira: uma aventura de 500 anos. In: *Formação da culinária brasileira*. Rio de Janeiro: Sistema CNC/Sesc/Senac, 2000.

_____. Cozinha plural. In: A culinária baiana no Restaurante do Senac Pelourinho (Ed. port./ingl./fr.). Rio de Janeiro: Salamandra/Senac Nacional, 1996.

_____. Dendê: bom de comer, de ver e de significar a matriz africana no Brasil. In: LODY, R. (org.). *Dendê: símbolo e sabor da Bahia*. São Paulo: Senac, 2009.

_____. Presencia de África en la gastronomía de Bahia. In: *Cuadernos Patrimonio Cultural y Turismo*. Memorias del Congreso sobre Patrimonio Gastronómico y Turismo Cultural en América Latina y el Caribe. Conaculta, Cidade do México, v. 1, n. 2, 2002.

_____. Rituales de la memoria. In: *Patrimonio Cultural y Turismo*. V° Congresso sobre Patrimonio Gastronómico y Turismo Cultural, Puebla, Memórias. Conaculta, Cidade do México, v. 7, 2004.

_____. *Tem dendê, tem axé*: etnografia do dendezeiro. Rio de Janeiro: Pallas, 1993.

_____. *A virtude da gula. Pensando a cozinha brasileira*. São Paulo: Senac, 2014.

LORIMER, J. English and irish settlement on the River Amazon, 1550-1646. The Hakluyt Society, Londres, pp. 103-108, 1989.

MEGGERS, B. J. *Amazônia*: a ilusão do paraíso. São Paulo, Edusp, 1997.

MILLIKEN, W.; ALBERT, B. The use of medicinal plants by the ianomami indians of Brazil, Part II. *Economic Botany*, v. 51, n. 3, pp. 264-278, 1997.

MILLIKEN, W.; ALBERT, B.; GOMEZ, G. G. *Yanomami*: a forest people. Londres: Kew/Royal Botanic Gardens, 1999.

MILLIKEN, W. et al. *Ethnobotany of the waimiri-atroari indians of Brazil*. Londres: Kew/Royal Botanic Gardens, 1992.

MILLIKEN, W. Traditional anti-malarial medicine in Roraima, Brazil. *Economic Botany*, v. 51, n. 3, pp. 212-237, 1997.

NUEZ, F. et al. *Catálogo de semillas de pimiento*. Ministerio de Agricultura, Pesca y Alimentación/Instituto Nacional de Investigación y Tecnología Agraria y Alimentaria, Madri, 1998.

PAPAVERO, N. et al. *O novo Éden*: a fauna da Amazônia brasileira nos relatos de viajantes e cronistas desde a descoberta do rio Amazonas por Pinzón (1500) até o Tratado de Santo Ildefonso (1777). Belém: Museu Paraense Emílio Goeldi. 2000.

PEREIRA, N. *Moronguêtá*: um decameron indígena (vol. I). Rio de Janeiro: Civilização Brasileira, 1967. 1980.

REIFSCHNEIDER, F. J. B. (org.). *Capsicum*: pimentas e pimentões no Brasil. Brasília: Embrapa Hortaliças, 2000.

RIBEIRO, P. A. M. Arqueologia em Roraima: histórico e evidências de um passado distante. In: BARBOSA, R. I.; FERREIRA, E. J. G.; CASTELLÓN, E. G. (eds.), *Homem, ambiente e ecologia no Estado de Roraima*. Manaus: Inpa, 1997.

RODRIGUES, A. B. Arubé. *Revista Nosso Pará*. Disponível em: http:/www.revistanossopara.com.br/conteudo.php?edi- cao=7&indice=54. Acesso em: fev. 2005.

RODRIGUES, D. *Arte de cozinha*. Rio de Janeiro: Senac Rio, 2008.

SCOVILLE, W. L. Note on Capsicum. In: *The Journal of the American Pharmaceutical Association*, v. 1, pp. 453-454, 1912.

SOUSA de, G. S. *Tratado descritivo do Brasil em 1587*. São Paulo: Hedra, 2010.

ULE, E. (14) Hr. E. Ule hält den angekündigten Vortrag: unter den Indianern am Rio Branco in Nordbrasilien. In: *Zeitschrift für Ethnologie*, Berlim, v. 45, n. 2, pp. 278-298. 1913.

RAUL LODY

Antropólogo e pesquisador de gastronomia. Realiza projetos, na área, no Brasil e no exterior, desde 1978. É autor de mais de 40 livros sobre comida e cultura. Premiado no Gourmand World Cookbook Awards em 2006, 2008, 2010, 2011, 2012, 2014. Criador e curador do Museu da Gastronomia Baiana. Coordenou pelo Iphan o registro do Ofício das Baianas de Acarajé.

Este livro foi publicado pela Companhia Editora Nacional, em outubro de 2018.
CTP, impressão e acabamento pela Gráfica Impress.